RUSSE LIVRE 1

REPORTAGE
РЕПОРТАЖ

Véronique Jouan-Lafont
Professeur au Collège de Staël et au Lycée Buffon, Paris

Françoise Kovalenko
Professeur au Lycée Jules Ferry, Paris
Formatrice à l'IUFM de Paris

Alexis Dernov
Illustrations

Belin:
ÉDITEUR INDÉPENDANT
DEPUIS 1777

170 bis, boulevard du Montparnasse 75680 Paris Cedex 14
www.belin-education.com

Remerciements

Merci infiniment à Vladimir Kovalenko pour sa collaboration.
Son écoute, sa remarquable connaissance du russe
et son inventivité nous ont permis de mener à bien ce travail.

Que soient chaleureusement remerciées les collègues
qui ont relu notre manuscrit pour la pertinence de leurs remarques.

Nous exprimons également notre vive gratitude à Iouri Chevtchouk,
à l'ensemble du groupe DDT pour l'autorisation gracieuse
qu'ils nous ont donnée de publier photos et textes, et à Ludmilla
Toropoff et Alexandre Brovko, intermédiaires amicaux.

Illustration de couverture : Alexis Dernov

© Éditions Belin, 2005   ISBN 978-2-7011-**4087**-2

avant-propos

Reportage 1 s'adresse aux élèves commençant l'étude du russe en 1re, 2e et 3e langue. Le programme de Seconde LV 3 a été privilégié dans la conception de la progression grammaticale et lexicale.

Les spécificités du russe, en particulier dans le domaine de la morphologie, nous ont incitées à donner la priorité à celle-ci comme base de la progression.
Mais l'approche de *Reportage 1* est également fonctionnelle et s'inscrit dans une **pédagogie de la communication**. Fondée sur une participation constante et active des élèves, et donc sur leur motivation, cette pédagogie s'appuie sur des activités et des supports d'apprentissage variés et attrayants. Manuel, cahier d'activités et CD permettent aux élèves de s'entraîner de façon équilibrée aux quatre compétences linguistiques : compréhension de l'oral, expression orale, compréhension de l'écrit, expression écrite.

L'acquisition des compétences langagières n'est pas le seul objectif du manuel. À partir des textes et des illustrations, où la réalité russe est constamment présente, l'enseignant peut développer les **savoirs culturels** et la compétence interculturelle, comme l'y incite le cadre européen commun de référence des langues.

La **structure du manuel** est simple. Chacune des **16 leçons** comporte 6 pages :
• La première page (**partie A**) est une image muette destinée à la fois à l'apprentissage et à la révision (indications sur le livret du maître présenté sur le site des Éditions Belin) : elle favorise l'expression orale spontanée.
• La deuxième page (**partie Б**) est constituée d'un dialogue ou d'un petit texte accompagné d'activités orales (**ПРАКТИКА**) qui se rapportent aux deux premières parties.
• La troisième page et la quatrième (**partie B**) comportent un dialogue plus long et les activités orales correspondantes. Dans la rubrique **ПРАКТИКА**, nous avons essayé, progressivement, de déplacer le centre de gravité du cours traditionnel (dialogue professeur-élèves) vers une communication plus spontanée et plus active des élèves entre eux.
• La cinquième page est divisée en deux parties bien distinctes :
   – la rubrique **НОВЫЕ СЛОВА** récapitule les mots nouveaux de la leçon par catégories grammaticales ;
   – la rubrique **ПЕРЕМЕНКА** propose des activités récréatives.
• La sixième page présente une question de civilisation (**СТРАНА И ЛЮДИ**) et invite à approfondir la connaissance d'un aspect de la réalité russe.
   À ces 16 leçons sont associées **16 leçons de grammaire** regroupées pages 112-133.

Dans le **cahier d'activités** (**РАБОЧАЯ ТЕТРАДЬ**) une part égale est réservée au travail en classe et à la maison. Ce cahier permet de simplifier la tâche du professeur dans le domaine de la compréhension et de l'expression écrite, mais aussi de la compréhension orale : des projets d'écoute sont proposés ; les dialogues **B** sont divisés en parties repérables dans le manuel grâce au symbole ❱. L'élève, lui, trouvera des pistes pour travailler de façon autonome.

Sur les **CD** d'accompagnement sont enregistrés les exercices de phonétique et d'intonation, les dialogues ou les textes, ainsi que les exercices spécifiques de compréhension orale.

Les auteurs

table des matières

activités de communication	notions grammaticales et phonologiques	faits de civilisation
Saluer. Demander son nom à quelqu'un et dire le sien. Identifier quelqu'un.	Absence de l'article. Le verbe *être*. L'accent tonique du mot. La prononciation des voyelles. L'intonation de la phrase. La formation des patronymes.	La Volga
Identifier quelque chose. Demander où sont les personnes et les choses et les situer.	Le genre des noms. Les pronoms personnels de 3ᵉ personne. Les conjonctions de coordination *и* et *а*. La prononciation des voyelles (suite). L'intonation de la phrase (suite).	La langue russe
Demander à quelqu'un quel est son métier (ou son activité). Dire le sien. Désigner ce qui appartient à soi-même. Qualifier quelque chose ou quelqu'un.	Les pronoms personnels sujets. Les pronoms-adjectifs possessifs des 1ʳᵉ et 2ᵉ personnes du singulier. Consonnes dures et consonnes molles. Le genre des noms (suite). L'adjectif.	L'alphabet cyrillique

activités de communication	notions grammaticales et phonologiques	faits de civilisation
Dire quelle langue parle quelqu'un. Rapporter ce que dit quelqu'un.	Les pronoms-adjectifs possessifs des 1re et 2e personnes du pluriel. Consonnes dures et consonnes molles (suite). Les verbes de 1re classe.	Kostroma, Iaroslavl et l'Anneau d'Or
S'excuser. Dire s'il vous plaît et merci. Indiquer la position des choses et des gens dans l'espace.	La déclinaison. Les déclinaisons des noms. Le nominatif singulier et le locatif singulier des noms. Le nominatif pluriel des noms. Le nominatif pluriel des pronoms-adjectifs possessifs. Les verbes de 1re classe à alternance. L'assourdissement des consonnes sonores en fin de mot. La notation du yod.	L'espace russe
Dire dans quel lieu on se trouve. Exprimer l'appartenance. Nommer des occupations habituelles et les situer dans la journée.	Le génitif. Le génitif singulier des noms. Les possessifs de 3e personne. Les verbes de 2e classe (type régulier). Les noms indéclinables. La ponctuation. L'ordre des mots dans la phrase.	Vie quotidienne
Dire ce que l'on aime. Dire ce que l'on aime faire.	Les verbes de 1re classe à alternance (suite). L'accusatif. 1re déclinaison des noms : l'accusatif singulier. L'accusatif des pronoms personnels et des pronoms interrogatifs. L'accusatif singulier de l'adjectif féminin en base dure et des pronoms-adjectifs possessifs féminins. Le nominatif pluriel des noms neutres. Les noms terminés par -мя. L'ordre des mots (suite).	Maisons et appartements
Dire où l'on habite. Dire à quoi on pense, dire de quoi on parle.	La préposition o/об. 2e déclinaison des noms : l'accusatif singulier. Le locatif singulier des pronoms-adjectifs possessifs. Le locatif singulier de l'adjectif en base dure. La proposition circonstancielle de cause. La construction des verbes.	Sorties
activités de communication	notions grammaticales et phonologiques	faits de civilisation

activités de communication	notions grammaticales et phonologiques	faits de civilisation
Dire ce que l'on veut ou ce que l'on veut faire. Parler de ses loisirs, dire que l'on joue d'un instrument, que l'on joue à tel ou tel jeu, que l'on regarde une pièce ou un film…	Le génitif singulier des pronoms interrogatifs. Le génitif singulier des pronoms-adjectifs possessifs féminins. Le génitif singulier de l'adjectif féminin en base dure. Les conjonctions *a* et *но*. La variante en *-o* des prépositions.	Traditions culinaires et hospitalité
Demander à quelqu'un où il va et indiquer où l'on va soi-même.	Le complément de lieu. Pronoms personnels : le génitif. Le *н-* préposé. Le génitif singulier des pronoms-adjectifs possessifs masculins et neutres. Le génitif singulier de l'adjectif masculin et neutre en base dure. Particularité orthographique. L'accusatif pluriel des noms désignant des inanimés.	Moscou
Dire quel jour de la semaine on fait telle ou telle chose. Demander son chemin et indiquer un itinéraire. S'exclamer. Donner une appréciation.	L'adjectif *какóй, какáя, какóе, какúе*. L'intonation de la phrase exclamative introduite par *какóй*. Les verbes de déplacement. Les compléments de temps : la répétition. Le pronom-adjectif démonstratif *этот* : nominatif, accusatif, génitif et locatif singulier, nominatif pluriel.	L'école russe
Dire ce qu'il y a ou ce qu'il n'y a pas quelque part. Exprimer la possession.	L'expression de la présence et de l'absence d'un objet ou d'une personne. Les verbes pronominaux. L'équivalent du pronom indéfini *on*. Le locatif singulier des pronoms personnels. Le pronom-adjectif possessif réfléchi *свой*.	Plaisirs d'hiver
Écrire une lettre à quelqu'un. Dire chez qui l'on va. Demander à quelqu'un de vous donner quelque chose.	Le datif. Les 1re et 2e déclinaisons des noms : le datif singulier. Le datif singulier des pronoms interrogatifs, des pronoms personnels, des pronoms-adjectifs possessifs, du pronom-adjectif démonstratif *этот*, de l'adjectif en base dure. Les verbes de déplacement (suite). L'ordre des mots (suite).	La fête de Maslenitsa

activités de communication	notions grammaticales et phonologiques	faits de civilisation
Dire où l'on va en véhicule. Dire quel temps il fait. Dire ce que l'on doit, ce que l'on peut ou ne peut pas faire.	Les propositions impersonnelles. L'expression de l'âge. La voyelle mobile. L'adjectif : forme longue et forme courte.	Saint-Pétersbourg
Dire où l'on était et s'exprimer au passé : décrire une situation ou une occupation.	Le locatif singulier en у. Le passé. Le passé du verbe быть. L'instrumental. 1re et 2e déclinaisons des noms : l'instrumental singulier. L'instrumental singulier des pronoms interrogatifs, des pronoms-adjectifs possessifs, du pronom-adjectif démonstratif э́тот, de l'adjectif en base dure. Particularité orthographique.	La campagne russe
Dire que quelqu'un est absent. Exprimer le doute ou l'étonnement. S'exprimer au passé : raconter un événement.	Les verbes du type рисова́ть. L'instrumental (suite). L'instrumental singulier des pronoms personnels. L'aspect du verbe. Les verbes de déplacement (suite). Les verbes de déplacement au passé.	Le sport

clés du manuel
РЕПОРТАЖ

Page A
Une grande image
destinée à favoriser
l'expression orale
et à introduire
des faits de langue
nouveaux.

(Voir les suggestions d'utilisation
sur le site Internet de Belin.)

Page Б
Un petit dialogue
pour une exploitation orale.

ПРАКТИКА

Des exercices
pour l'appropriation
du lexique,
des structures
grammaticales
et un dialogue
guidé.

ВАМ СЛОВО

Un jeu de rôle.

Page B
**Un grand dialogue
présentant une situation
réaliste et vivante.**

БАНК СЛОВ
**Une banque de mots
pour l'ouverture du champ lexical.**

ПРАКТИКА
**Des exercices
d'entraînement
à l'expression
orale, le plus
souvent à partir
d'images.**

НОВЫЕ СЛОВА
**Une récapitulation
du vocabulaire
nouveau.**

СТРАНА И ЛЮДИ
**Une page de civilisation
qui permet d'approfondir
un des thèmes principaux
de la leçon et d'encourager
la participation des élèves.**

ПЕРЕМЕНКА
Une activité récréative.

Эллочка

Ники́та Никола́евич

Да́йма

Ли́да

Макси́м Во́лгин

Ба́бушка

Де́душка

Игорь Кузми́н

Ни́на Куку́шкина

Ве́ра Бори́совна Ро́зова

На́дя

Вале́ра Ро́зов

Алёша

les personnages
de РЕПОРТАЖ

Кири́лл

...али́на Влади́мировна

Па́вел Фёдорович

Шарль

...рге́й Влади́мирович Ро́зов

На́стя Ро́зова

Аня

Рома́н

Жак

Стефани́

КАК ВАС ЗОВУТ?

Макси́м: Здра́вствуй, как тебя́ зову́т?
Шарль: Меня́ зову́т Шарль.
То́ма: Здра́вствуй, меня́ зову́т То́ма. А тебя́?
А́ня: Меня́ зову́т А́ня.
Мака́р Ива́нович: Здра́вствуйте, меня́ зову́т
Мака́р Ива́нович. А вас как зову́т?
Ве́ра Бори́совна: Меня́ зову́т Ве́ра Бори́совна.
А́ня: До свида́ния!
Шарль: До свида́ния!

> Его́ зову́т Мака́р.
> Её зову́т Ве́ра.

ПРАКТИКА

1 Смотри́те и отвеча́йте.

Que disent-ils: «здра́вствуй» *ou* «здра́вствуйте»?

A   O

A

O

A   O

A   O

2 Слу́шайте и отвеча́йте.

Ces prénoms et patronymes sont-ils masculins ou féminins?

Ива́н Мака́рович, А́нна Бори́совна, Ве́ра Макси́мовна, Никола́й Ива́нович,
Мари́я Никола́евна, Ви́ктор Макси́мович, Ната́лья Алекса́ндровна, Анто́н Бори́сович.

3 Слу́шайте и отвеча́йте.

De quels prénoms sont issus ces patronymes?

Ива́нович, Алекса́ндровна, Макси́мович, Ви́кторовна, Анто́нович, Бори́сович.

ВАМ СЛО́ВО!

Учени́к А: Как тебя́ зову́т?
Учени́к Б: Меня́ зову́т…

Vous changerez ensuite de partenaire.

А ТАМ… ЭТО НЕ АКТРИСА?

Ли́да: Здра́вствуй, Макси́м!
Макси́м: Здра́вствуй, Ли́да!
Ли́да: Кто э́то?
Макси́м: Это дире́ктор.
Ли́да: А э́то мэр?
Макси́м: Да.
Ли́да: А там… Это не актри́са Ни́на Куку́шкина?
Макси́м: Нет, э́то То́ма! То́ма – секрета́рша! Вот инжене́р Попо́в.
Ли́да: Попо́в?
Макси́м: Да, Ива́н Анто́нович Попо́в.

1	2	3	4	5
оди́н	два	три	четы́ре	пять

• Гид, шофёр, журнали́ст, дире́ктор, актёр, актри́са, секрета́рша, инжене́р, мэр, тури́ст.

ПРАКТИКА

1 Смотри́те и отвеча́йте.

Образе́ц:
а) № 2. Кто э́то? → б) Э́то Шарль.

№ 3   № 5   № 4   № 1

2 Слу́шайте и продолжа́йте.

Образе́ц: а) Э́то Мака́р Ива́нович. → б) Мака́р Ива́нович – шофёр.

1. Э́то Ве́ра Бори́совна. 2. Э́то Макси́м. 3. Э́то Шарль. 4. Э́то Ни́на Куку́шкина. 5. Э́то Ива́н Анто́нович Попо́в.

3 Смотри́те и продолжа́йте.

Образе́ц: а) Толсто́й? → б) Э́то №2.

Гага́рин? Ле́нин? Горбачёв? Ста́лин?

4 Смотри́те и составля́йте диало́ги.

Ces personnages se saluent et se présentent l'un à l'autre. Imaginez leurs dialogues.

5 Игра́йте.

Le premier joueur cite un nom de métier. Le deuxième le répète et en ajoute un autre, et ainsi de suite…

Posez-vous des questions les uns aux autres sur les élèves de la classe.

Учени́к А: Э́то Са́ша?

Учени́к Б: Да, э́то Са́ша. / Нет, э́то не Са́ша, э́то Юлия.

урок 1

урок	leçon	кто	qui
практика	pratique, entraînement		
слово	mot, parole	как	comment
страна	pays	там	là-bas
люди (pl.)	gens		
актриса	actrice	да	oui
директор	directeur	нет	non
мэр	maire	здравствуй(те)	bonjour
секретарша	secrétaire	до свидания	au revoir
инженер	ingénieur	а	et, mais
гид	guide	не	ne … pas
шофёр	chauffeur	вот	voici
журналист	journaliste		
актёр	acteur	Это мэр.	C'est le maire.
турист	touriste	Как тебя зовут?	Comment t'appelles-tu ?

ПЕРЕМЕНКА

Prénoms, patronymes, diminutifs...

1 **Cherchez avec l'aide de votre professeur si votre prénom a un équivalent parmi les prénoms russes.**

Prénoms masculins	Денис	Самуил	Варвара	Майя
Александр	Дмитрий	Севастьян	Вера	Маргарита
Алексей	Евгений	Сергей	Галина	Марина
Анатолий	Иван	Степан	Дарья	Мария
Андрей	Игорь	Фёдор	Жанна	Надежда
Антон	Кирилл	Филипп	Евгения	Наталья
Борис	Константин	Эдуард	Екатерина	Нина
Вадим	Лев	Юрий	Елена	Оксана
Валентин	Леонид	Яков	Елизавета	Ольга
Валерий	Макар		Зинаида	Полина
Василий	Максим	**Prénoms féminins**	Зоя	Раиса
Вениамин	Марк	Ада	Инна	Светлана
Виктор	Матвей	Александра	Ирина	Софья
Владимир	Михаил	Алина	Клара	Тамара
Владислав	Никита	Алла	Ксения	Татьяна
Геннадий	Николай	Анастасия	Лариса	Федора
Георгий	Олег	Анна	Лидия	Элла
Григорий	Павел	Белла	Лилия	Эмма
Давид	Пётр	Валентина	Любовь	Юлия
Даниил	Роман	Валерия	Людмила	

2 **Diminutifs du prénom Сергей**
(les plus usuels sont soulignés)
Серга, Сергак, Сергейка, Сергеюшка, Серго,
Сергуленька, Сергуля, Сергунёк, Сергунечка,
Сергунок, Сергунчик, Сергуня, Сергуся, Сергуха,
Сергуша, Серёга, Серёжа, Серёженька, Серёжка.

La Volga

« *Après le dîner, je me suis oublié dans la contemplation du merveilleux horizon qui, devant moi, s'étendait à perte de vue. L'éperon rocheux du Kremlin, où j'étais, surplombe à pic le port de Nijni Novgorod, et la vue, que rien n'arrête, distingue à la fois le mouvement affairé des rives et l'impassible horizon de la plaine. L'Oka et la Volga, larges chacune de près d'un kilomètre, se fondent en une énorme masse d'eau jaunâtre qui s'en va par de lents méandres vers le lointain. Ce coup d'œil est un des plus beaux qui soient en Europe.* »

Jules Legras, *Au Pays russe*, 1913.

La Volga à Kostroma.
Sur ses rives, le monastère Saint-Hypatius.

◈ La ville de Kostroma, où habitent nos personnages, est située sur la Volga, à 360 kilomètres au nord-est de Moscou.

C'est grâce à cette situation qu'elle est devenue une ville marchande d'importance: en effet, les fleuves offrent depuis toujours des possibilités remarquables de communication.

Comment expliquer ce rôle important des voies fluviales en Russie ?

Péniche sur la Volga à Iaroslavl.

◈ La Volga est, avec ses 3 530 kilomètres, le fleuve le plus long d'Europe, mais non de la Fédération de Russie.

C'est en Sibérie que se trouve le plus grand fleuve de la Fédération. En observant la carte physique, pouvez-vous dire si c'est l'Ob, l'Ienisseï, la Léna ou l'Amour ?

◈ Le delta de la Volga est un des principaux lieux de reproduction des esturgeons. C'est là qu'ils sont pêchés, et que leurs œufs sont transformés en caviar.

Dans quelle mer se jette la Volga ?

Pêcheurs dans le delta de la Volga.

ГДЕ ОНИ?

Аня: На́стя, где дире́ктор?
На́стя: Он там, спра́ва.
Аня: А актри́са?
На́стя: Ни́на Куку́шкина? Вот она́.
Аня: Где Макси́м и Ли́да?
На́стя: Вот они́.
Аня: А здесь спра́ва, это не Попо́в?
На́стя: Да, да, э́то Попо́в.
Аня: А секрета́рша?
На́стя: Она́ там, сле́ва.

> там
> сле́ва   спра́ва
> здесь

ПРАКТИКА

1 Смотри́те и отвеча́йте.

Образе́ц: **а)** Где Макси́м?   →   **б)** Вот он, сле́ва.

1. Где Ива́н Анто́нович? **2.** Где Ве́ра Бори́совна? **3.** Где Макси́м и Ли́да? **4.** Где Ни́на Куку́шкина?
5. Где мэр и дире́ктор? **6.** Где Шарль? **7.** Где Мака́р Ива́нович и То́ма?

2 Смотри́те и продолжа́йте.

Образе́ц: **а)** Гид.   →   **б)** № 4

Журнали́ст. Дире́ктор. Секрета́рша. Актри́са.

3 Смотри́те и составля́йте фра́зы.

Образе́ц: **а)** № 1   →   **б)** Это дире́ктор. Он спра́ва.

№ 3   № 5   № 2   № 4

4 Игра́йте.

Vous avez une minute pour mémoriser la place des personnages dans le sens de la flèche. Cachez l'image. Énumérez-les dans l'ordre. En cas d'hésitation ou d'erreur, votre voisin recommence au début.

ВАМ СЛО́ВО!

Nommez les élèves de la classe deux par deux et indiquez la place de chacun.

Учени́к А: Кто э́то?
Учени́к Б: Это Ни́на и Рома́н.
Учени́к А: Где Ни́на?
Учени́к Б: Она́ сле́ва.

ЗА ТЕБЯ, АНЮТА!

Аня: Шарль, что э́то?
Шарль: Это дива́н.
Аня: Где дива́н?
Шарль: Вот он.

Аня: А э́то что?
Жак: Где? Здесь? Это стул.
Аня: Нет, э́то не стул, э́то стол.
Жак: Стол, стол… А э́то?

Аня: Это панно́, а э́то карти́на.
Шарль: Где карти́на?
Аня: Вот она́. А где окно́?
Шарль: Вот оно́.

Аня: Хорошо́. А э́то вода́ и вино́. Повтори́!
Шарль: Вода́ и вино́. Вот они́.
Жак: За тебя́, Аню́та!*

* За тебя́, Аню́та! *À la tienne, Aniouta.*

24

6	7	8	9	10
шесть	семь	во́семь	де́вять	де́сять

- Кни́га, пена́л, каранда́ш, ру́чка.
- Доска́, ла́мпа, ка́рта, стол, стул, дива́н, панно́, карти́на, ва́за, магнитофо́н, телефо́н, телеви́зор.
- Вода́, вино́, во́дка, кака́о.

ПРАКТИКА

1 **Смотри́те на карти́нку (стр. 24) и отвеча́йте.**

Образе́ц: **а)** № 4. Это стол? → **б)** Нет, э́то не стол. Это окно́.

№ 3. Это дива́н? № 5. Это вода́ и вино́? № 6. Это окно́?
№ 2. Это стол. № 8. Это пена́л? № 4. Это карти́на?
№ 6. Это панно́? № 5. Это во́дка? № 1. Это стул?
№ 9. Это магнитофо́н? № 7. Это пальто́? № 1. Это доска́?

2 **Рабо́та в па́рах.**

Образе́ц: **а)** → **б) Учени́к А:** Что э́то?
Учени́к Б: Это кака́о.
Учени́к А: Где кака́о?
Учени́к Б: Вот оно́.

3 **Смотри́те и продолжа́йте.**
*Lisez à haute voix les noms des localités situées
près de la Volga (dessin ci-contre) puis faites l'exercice.*
Образе́ц: **а)** Где Москва́? → **б)** Вот она́.

Волгогра́д, Бала́ково, Костро́ма,
Ни́жний Но́вгород, Сара́тов.

Rejouez la scène de la page 24 à votre manière.

ВАМ СЛОВО!

Transformez votre salle de classe en chambre d'hôtel (deux chaises peuvent devenir un divan, une calculatrice posée sur une table peut devenir un téléphone, un pot de colle peut se transformer en bouteille de vin, etc.). Vous êtes Charles et Ania. Rejouez la scène de la page 24 à votre manière.

урок 2

НОВЫЕ СЛОВА

стол	table	вино́	vin
стул	chaise	во́дка	vodka
окно́	fenêtre	кака́о	chocolat à boire
доска́	tableau (classe)		
ка́рта	carte (géographique ou à jouer)	он она́ оно́	il, elle
ла́мпа	lampe		
кни́га	livre	они́	ils, elles
пена́л	trousse	что	quoi, que
каранда́ш	crayon		
ру́чка	stylo, stylo-bille	где	où
пальто́	manteau	спра́ва	à droite
дива́н	divan	сле́ва	à gauche
панно́	panneau mural	здесь	ici
карти́на	tableau	хорошо́	bien
ва́за	vase		
магнитофо́н	magnétophone	и	et
телефо́н	téléphone		
телеви́зор	téléviseur	повтори́(те)	répète (répétez)
вода́	eau		

ПЕРЕМЕНКА

1 Lisez les nombres à voix haute. Quel est le nombre manquant ?

7 3 9 2 6 3 5 4 1 8 1 10 2 1 5 9 8 6 ? 2 4 7 5 10 4 10 7 6 3 8

2 Lisez ces mots qui vous feront découvrir que vous avez déjà un important bagage lexical ! Associez-les ensuite aux dessins.

но́та
гама́к
сека́тор
карто́нка
нос
анана́с
комо́д
душ
артишо́к
карати́ст

СТРАНА И ЛЮДИ

La langue russe (Русский язык)

◆ La plupart des langues européennes proviennent d'une langue parlée dans la préhistoire par un peuple vivant sans doute dans le sud de l'actuelle Russie et qui n'a laissé aucune trace. Les savants ont acquis la certitude de l'existence de ce peuple et de sa langue qu'ils ont appelée l'**indo-européen**.

Cette langue a évolué et a donné naissance à plusieurs groupes de langues, dont le **groupe roman**, auquel appartient le français, et le **groupe slave**, auquel appartient le russe.

Aujourd'hui 1,6 milliard de locuteurs parlent des langues provenant du fonds commun indo-européen. Il s'agit de l'immense majorité des langues de l'Europe et de langues parlées au nord de l'Inde.

Complétez le groupe des langues slaves.

Dans quels pays ces langues sont-elles parlées ?

Quelles sont les langues slaves parlées dans la CEI (Communauté des États Indépendants constituée au moment de la chute de l'URSS) ? Quelles sont celles qui sont parlées en dehors de la CEI ?

Quelles sont les langues qui s'écrivent en alphabet cyrillique ? en alphabet latin ?

◆ L'origine commune des langues indo-européennes explique la ressemblance entre des mots de langues différentes.
Observez :
• un, deux, trois
• one, two, three
• оди́н, два, три

Certains mots peuvent aussi être empruntés à d'autres langues.

Donnez-en des exemples parmi les mots que vous avez appris.

Урок 3 A
ЭТО ПОРТФЕЛЬ, А ЭТО ТУФЛЯ

КТО ВЫ?

Макси́м: Здра́вствуйте! Ни́на, вы актри́са?
Ни́на Куку́шкина: Да, я актри́са.
Макси́м: А вы?
Мака́р Ива́нович: Я шофёр.
Андре́й Петро́вич: Я учи́тель.
Макси́м: А ты?
На́стя: Я учени́ца.

На́стя – учени́ца, а Рома́н – учени́к.

ПРАКТИКА

1 Слу́шайте и продолжа́йте.

Образе́ц: **а)** Я гид. → **б)** Это Ве́ра Бори́совна.

1. Я актри́са. **2.** Я учи́тель. **3.** Я шофёр. **4.** Я инжене́р. **5.** Я учени́ца. **6.** Я журнали́ст.
7. Я учени́к.

2 Слу́шайте и отвеча́йте.

Образе́ц: **а)** Макси́м, вы инжене́р? → **б)** Нет, я журнали́ст!

1. Рома́н, ты учи́тель? **2.** Андре́й Петро́вич, вы арти́ст? **3.** Мака́р Ива́нович, вы коммерса́нт?
4. На́стя, ты актри́са? **5.** Ве́ра Бори́совна, вы мэр? **6.** Ива́н Анто́нович, вы шофёр?

3 Смотри́те и отвеча́йте.
Dites s'ils sont vieux ou neufs.

ВАМ СЛО́ВО!

*Choisissez mentalement une profession ou une activité (vous en connaissez 13)
et faites en chaîne des phrases du type:* Я актри́са, а ты?

Ники́та Никола́евич: Макси́м, иди́ сюда́! Это твой репорта́ж?
Макси́м: Да, мой. А что?
Ники́та Никола́евич: Вот что… Кто э́то здесь?
Макси́м: Ники́та Никола́евич, э́то же мэр, но́вый мэр…
Ники́та Никола́евич: Но́вый мэр… А ты кто, фото́граф и́ли юмори́ст?
Макси́м: Я? Я фото́граф-стажёр.

Секрета́рша: Ники́та
Никола́евич!
Ники́та Никола́евич:
Ой-ой-ой…
Мой самолёт!
Где мой портфе́ль?
А моё пальто́?
Моя́ маши́на здесь?
Бы́стро, бы́стро!

- Портфе́ль, ру́чка, каранда́ш, пена́л, кни́га, тетра́дь.
- Репорта́ж, фотогра́фия, фото́граф, газе́та, журна́л.

- Маши́на самолёт

- Учени́к, учени́ца, учи́тель, учи́тельница.
- Ста́рый ≠ но́вый.

ПРАКТИКА

1 **Смотри́те и отвеча́йте.**

1. Это газе́та и́ли журна́л? 2. Это тетра́дь и́ли кни́га? 3. Это учени́к и́ли учи́тель? 4. Это дверь и́ли окно́? 5. Это ру́чка и́ли каранда́ш?

2 **Рабо́та в па́рах.**

Posez-vous des questions sur les personnages.

Учени́к А: Рома́н – учени́к и́ли учи́тель?

Учени́к Б: Он учени́к.

3 **Смотри́те и составля́йте фра́зы.**

Образе́ц: а) № 1 → б) Это ста́рая газе́та, а э́то но́вая.

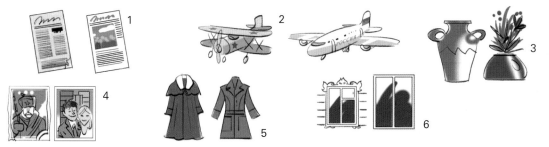

4 **Говори́те.**

La secrétaire est excédée par le désordre que l'on a mis dans son bureau. Elle s'écrie: «Телефо́н не мой, ру́чка не моя́…»

Continuez…

5 **Говори́те.**

Posez des questions à votre voisin sur ses affaires.

Твоя́ кни́га но́вая? А твой портфе́ль? А твоя́ ру́чка? Твоя́ тетра́дь? Твоё пальто́? Твой телеви́зор?

Un des élèves mime un métier dont vous connaissez le nom en russe. Vous devez reconnaître ce métier et lui dire, par exemple: Ты шофёр!

урок 3

НОВЫЕ СЛОВА

портфе́ль (m.)	*cartable*		
ту́фля	*chaussure*	я	*je, moi*
фотогра́фия	*photographie*	ты	*tu, toi*
мо́ре	*mer*	мы	*nous*
тетра́дь (f.)	*cahier*	вы	*vous*
дверь (f.)	*porte*		
учи́тель (m.)	*professeur (homme)*	мой, моя́, моё	*mon, le mien*
учи́тельница	*professeur (femme)*	твой, твоя́, твоё	*ton, le tien*
учени́к	*élève (garçon)*		
учени́ца	*élève (fille)*	ста́рый, ста́рая, ста́рое	*vieux, ancien*
репорта́ж	*reportage*	но́вый, но́вая, но́вое	*neuf, nouveau*
фото́граф	*photographe*		
юмори́ст	*humoriste*	бы́стро	*vite*
стажёр	*stagiaire*		
самолёт	*avion*	Иди́(те) сюда́!	*Viens (venez) ici !*
маши́на	*voiture*	и́ли	*ou, ou bien*
газе́та	*journal*	же	*particule de renforcement*
журна́л	*revue*		

ПЕРЕМЕНКА

1 **Écoutez cette chanson tradition-nelle, et chantez-la si vous voulez !**

Кали́нка
[...]

Ах, сосёнушка ты зелёная,
Не шуми́ же на́до мной!
Ай-лю́ли, лю́ли, ай-лю́ли,
Не шуми́ же надо мной!

Ах, краса́вица, душа́-де́вица,
Полюби́ же ты меня́!
Ай-лю́ли, лю́ли, ай-лю́ли,
Полюби́ же ты меня́!

2 **Chassez l'intrus dans chaque colonne !**

вино́	омле́т	метро́	класс	шофёр
кака́о	анана́с	такси́	ко́нкурс	поэ́т
ви́ски	суп	ваго́н	дива́н	адвока́т
во́дка	гита́ра	маши́на	университе́т	капита́н
фотоаппара́т	сала́т	самолёт	дипло́м	актёр
ко́фе	котле́та	по́езд	экза́мен	клие́нт
ко́ла	компо́т	душ	институ́т	юри́ст

СТРАНА И ЛЮДИ

L'alphabet cyrillique

◆ C'est au IXe siècle que Cyrille et Méthode, deux moines venant de Salonique (en Grèce), dotèrent les Slaves de leur premier alphabet et de leurs premiers textes religieux, lors d'une mission en Moravie pour laquelle ils avaient été choisis par l'empereur de Byzance. C'est cet alphabet qui est à l'origine de l'alphabet cyrillique.

Cet alphabet a connu plusieurs modifications, dont la dernière en 1918, après la révolution socialiste d'octobre 1917. La réforme promulguée à cette époque a permis une simplification de l'orthographe.

Même si vous ne connaissez pas encore entièrement l'alphabet, vous pourrez dire en russe si chacune de ces publications est ancienne ou récente.

Comparez la façon dont est écrit le mot « journal » sur les deux revues ci-dessous, la première datant de 2003 et la seconde de 1914.

Repérez les lettres semblables ou très ressemblantes dans les deux alphabets, grec et cyrillique.

grec	cyrillique
А	А
B	Б
Г	В
Δ	Г
Е	Д
Z	Е
Н	Ё
Θ	Ж
I	З
K	И
Λ	Й
M	К
N	Л
Ξ	М
O	Н
Π	О
P	П
Σ	Р
T	С
Υ	Т
Φ	У
Χ	Ф
Ψ	Х
Ω	Ц
	Ч
	Ш
	Щ
	Ъ
	Ы
	Ь
	Э
	Ю
	Я

КТО ГОВОРИТ ПО-РУССКИ?

Вера Борисовна: Здравствуйте! Меня зовут Вера Борисовна. Я ваш гид. Вот наш автобус. Я говорю по-русски, по-французски и по-английски. Кто говорит по-русски?

Туристы: Я, я!

ПРАКТИКА

1 **Слушайте и продолжайте.**

Образец: **а)** Вот Вера Борисовна. → **б)** Это наш гид.

1. Вот Макар Иванович. **2.** Вот Андрей Петрович. **3.** Вот Настя. **4.** Вот Тома. **5.** Вот Шарль.

2 **Смотрите и отвечайте.**

Образец: **а)** Это новая книга? → **б)** Нет, это старая книга.

1. Это старая машина? **2.** Это новый карандаш? **3.** Это новое окно? **4.** Это новая фотография? **5.** Это старое пальто? **6.** Это новый дом? **7.** Это старая гостиница? **8.** Это новая тетрадь?

3 **Слушайте и составляйте фразы.**

Образец: **а)** Тебя зовут Жак. → **б)** Ты говоришь по-французски.

1. Меня зовут Андрей Петрович. **2.** Тебя зовут Стефани. **3.** Его зовут Джон. **4.** Тебя зовут Максим. **5.** Меня зовут Никита Николаевич. **6.** Её зовут Брижdet. **7.** Меня зовут Шарль. **8.** Тебя зовут Тома.

4 **Говорите.**

Véra Borissovna s'est présentée à son groupe de touristes. Faites maintenant parler Vladimir Ivanovitch, professeur de français, qui se présente à ses élèves et montre le matériel de la classe. Vous emploierez les expressions et les mots suivants: здравствуйте, меня зовут…, учитель, говорить, магнитофон, видеопроектор.

Posez des questions sur les langues que vous parlez ou que parlent vos parents (папа, мама).

Твой папа говорит по-русски? Ты говоришь по-английски?

Ве́ра Бори́совна: *(бы́стро)* Сле́ва на́ша гости́ница, а спра́ва библиоте́ка. [А сейча́с мы подъезжа́ем к це́нтру го́рода. Вы ви́дите музе́й Изобрази́тельных иску́сств. Ско́ро бу́дет Центра́льный парк.]

Шарль: Вы бы́стро говори́те!

Ве́ра Бори́совна: *(ме́дленно)* Хорошо́. Это музе́й, а э́то парк.

Стефани́: Где музе́й?

Ве́ра Бори́совна: Там, где стои́т молодо́й челове́к.

Жак: Что она́ говори́т?

Аня: Она́ говори́т, что музе́й там.

Ве́ра Бори́совна: Ой, кто здесь ку́рит?

Стефани́ и Жак: Мы не ку́рим, э́то они́ там ку́рят…

Все: О-о-о… Смотри́те, река́!

Ве́ра Бори́совна: Это Во́лга.

- Самолёт, маши́на, авто́бус.
- У́лица, гости́ница, дом, бюро́, библиоте́ка, музе́й, парк, река́.

- **Как?** хорошо́ ≠ пло́хо
  бы́стро ≠ ме́дленно
- **Како́й?** ста́рый ≠ но́вый, молодо́й

ПРАКТИКА

1 Слу́шайте и отвеча́йте.

Où est l'intrus (non grammatical)?

Образе́ц: **а)** Каранда́ш – дива́н – ру́чка – пена́л – тетра́дь. → **б)** Дива́н.

1. Учени́к – журнали́ст – учени́ца – учи́тельница – учи́тель.
2. Здесь – там – хорошо́ – где – спра́ва.
3. Ники́та – Андре́й – Рома́н – Мака́р – Ве́ра.
4. Актёр – фото́граф – инжене́р – тури́ст – шофёр.
5. У́лица – музе́й – библиоте́ка – гости́ница – магази́н.

2 Слу́шайте и отвеча́йте.

Образе́ц: **а)** На́стя говори́т по-англи́йски. А вы?
→ **б)** Я говорю́ по-англи́йски. / Я не говорю́ по-англи́йски.

1. Шарль говори́т по-италья́нски. А вы? **2.** Мака́р Ива́нович говори́т по-ру́сски. А вы?
3. Рома́н и На́стя говоря́т по-испа́нски. А вы? **4.** Ве́ра Бори́совна говори́т по-япо́нски.
А вы? **5.** Жак говори́т по-ара́бски. А вы? **6.** Андре́й Петро́вич говори́т по-англи́йски. А вы?
7. То́ма говори́т по-францу́зски. А вы?

3 Смотри́те и составля́йте фра́зы.

Образе́ц: **а)** Это но́вая библиоте́ка. → **б)** Она́ говори́т, что это но́вая библиоте́ка.

1. Это но́вое пальто́.
2. Это молода́я актри́са.
3. Это ста́рый актёр.
4. Это но́вая гости́ница.
5. Это молодо́й челове́к.

Во́лга – на́ша река́.

4 Смотри́те и составля́йте фра́зы.

**Composez au moins dix phrases
sur cette image.**

*Vous êtes dans un car de touristes. L'un de vous est le guide, deux ou trois autres
des touristes, pas toujours très disciplinés.
Imaginez le dialogue et jouez la scène.*

урок 4

НОВЫЕ СЛОВА

говори́ть (1)	*parler, dire*	музе́й	*musée*
стоя́ть (1)	*être debout*	парк	*parc*
кури́ть (1)	*fumer*	челове́к	*homme, personne*
смотри́(те)	*regarde(z)*	река́	*fleuve, rivière*

го́род	*ville*	наш	*notre*
авто́бус	*car, autobus*	ваш	*votre*
гости́ница	*hôtel*	молодо́й	*jeune*
бюро́ (indécl.)	*bureau (lieu)*		
у́лица	*rue*	по-ру́сски	*en russe*
дом	*maison*	по-францу́зски	*en français*
магази́н	*magasin*	по-англи́йски	*en anglais*
о́вощи (pl.)	*légumes*	ме́дленно	*lentement*
видеопрое́ктор	*vidéoprojecteur*	пло́хо	*mal*
библиоте́ка	*bibliothèque (lieu)*		

ПЕРЕМЕНКА

1 Voici une chanson extraite d'un film des années 30: *La Jeunesse de Maxime*.

Кру́тится, ве́ртится шар голубо́й.
Кру́тится, ве́ртится над голово́й.
Кру́тится, ве́ртится, хо́чет упа́сть…
Кавале́р де́вушку хо́чет укра́сть.

Где э́та у́лица, где э́тот дом?
Где э́та де́вушка, что я влюблён?
Вот э́та у́лица, вот э́тот дом,
Вот э́та де́вушка, что я влюблён.

2 Lisez ces enseignes avec l'aide de votre professeur.

Kostroma, Iaroslavl et l'anneau d'or

◆ La ville de Kostroma est située sur un itinéraire touristique qui rassemble d'anciennes villes russes autour de Moscou. Cet itinéraire s'appelle « l'Anneau d'or ».

◆ Dans le texte suivant, il vous sera certainement facile de trouver les mots qui manquent.

« La fondation de Kostroma, en 1152, est attribuée à Youri Dolgorouki, qui cinq ans plus tôt avait été à l'origine de celle de Moscou. Kostroma s'étend essentiellement sur la rive gauche de la … . Kostroma est célèbre pour ses églises et ses monastères, en particulier pour le monastère de … , fondé en 1330.

Les autres villes de "l'Anneau d'or", parmi lesquelles on peut citer … et … , sont également riches en superbes églises anciennes. Si vous souhaitez voir des constructions traditionnelles à Kostroma, vous n'avez que peu de chemin à parcourir du centre au Musée de l'architecture en … où vous trouverez réunis maisons d'habitation, granges, bains, moulins et églises. Vous irez ensuite admirer la "mère" Volga et son affluent la … qui a donné son nom à la ville. »

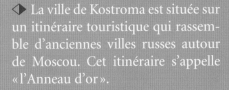

Кострома́. Кра́сные торго́вые ряды́.

Кострома́. Музе́й деревя́нного зо́дчества.

Яросла́вль. В це́нтре го́рода (у́лица Андро́пова).

Кострома́. Ипа́тьевский монасты́рь.

Яросла́вль. Це́рковь Ильи́ Проро́ка.

Су́здаль. Зи́мний пейза́ж.

Урок 5А
ГАЗЕТЫ И ЖУРНАЛЫ

НА СТОЛЕ ИЛИ В СТОЛЕ?

Никита Николаевич: Алло! Максим! Это говорит Никита Николаевич. Скажите, где моя дискета?
Максим: Ваша дискета? На столе, может быть… Или в столе… Нет… И здесь нет…
Никита Николаевич: А в портфеле?
Максим: А где портфель? Ага, вот дискеты… На окне.
Никита Николаевич: Спасибо, Максим.

ПРАКТИКА

 Смотрите и отвечайте.

1. Книга в портфеле или на портфеле? **2.** Карандаши в столе или на столе? **3.** Журнал в машине или на машине? **4.** Ручка в газете или на газете? **5.** Кассета в магнитофоне или на магнитофоне?

 Работа в парах.
Suivez l'ordre des images.
Ученик А: Это роза?
Ученик Б: Нет, это розы.
Ученик А: Где розы?
Ученик Б: Они в вазе.

Работа в парах.
Écoutez le dialogue suivant et rejouez-le en changeant les objets.
– Мама, где моя тетрадь?
– Она не в портфеле?
– Нет.
– Может быть она в столе?
– Да, вот она.

Choisissez des objets que vous savez nommer et mettez-les les uns sur (ou dans) les autres. Puis faites décrire à votre voisin cet empilement.

В САМОЛЁТЕ

» **Ники́та Никола́евич:** Уф-ф! Как хорошо́ сиде́ть!
Мужчи́на: Ша́пка!
Ники́та Никола́евич: Что? Где ша́пка?
Мужчи́на: Я говорю́, что вы сиди́те на ша́пке.
Ники́та Никола́евич: Ой! Это ва́ша ша́пка?
Мужчи́на: Да, моя́.
Ники́та Никола́евич: Извини́те, пожа́луйста!

Стюарде́сса: Это ва́ша де́вочка?
Же́нщина: Это не де́вочка, это ма́льчик.
Стюарде́сса: Извини́те, здесь сиди́т э́та же́нщина. (Же́нщине) Сади́тесь.

» **Попо́в:** Это ва́ши газе́ты лежа́т на сто́лике*?
Пьер Дюпо́н: Да, мои́. Извини́те, я о́чень пло́хо говорю́ по-ру́сски…
Попо́в: Да нет, вы хорошо́ говори́те!
*сто́лик (dim. de стол): tablette

Стюарде́сса: Во́дка, конья́к, сигаре́ты, духи́!
Попо́в: Это ва́ши духи́ – францу́зские! Де́вушка, да́йте мне, пожа́луйста, оди́н флако́нчик «Шане́ль N°5».

11	12	13	14
оди́ннадцать	двена́дцать	трина́дцать	четы́рнадцать
15	**16**	**17**	**18**
пятна́дцать	шестна́дцать	семна́дцать	восемна́дцать
	19	20	
	девятна́дцать	два́дцать	

- Ага! Уф! Ой!
- Же́нщина, мужчи́на, де́вушка, молодо́й челове́к, де́вочка, ма́льчик.
- Стоя́ть, сиде́ть, лежа́ть.
- Ру́сский, францу́зский, англи́йский, америка́нский.

ПРАКТИКА

1 **Слу́шайте и отвеча́йте.**

Complétez avec un verbe de position qui convienne par le sens.

Образе́ц: **а)** Макси́м в маши́не? → **б)** Да, он сиди́т в маши́не.

1. Де́вочка на сту́ле? 2. Газе́та на столе́? 3. Тури́сты в авто́бусе? 4. Ма́льчики на дива́не? 5. Журна́лы на сту́ле? 6. Ва́за на столе́? 7. Молодо́й челове́к в самолёте?

2 **Смотри́те и продолжа́йте.**

Образе́ц: Ма́льчик сиди́т, а де́вочка стои́т.

3 **Смотри́те и отвеча́йте.**

Parmi ces objets, vous nommerez seulement ceux qui sont russes.

Образе́ц: Вот ру́сская кни́га.

Quel désordre dans la maison! Imaginez une dispute entre mari et femme, ou frère et sœur…

– Это моя́ ру́чка!   – Твои́ ту́фли на столе́!
– Нет, моя́.   – Это не мои́. А что здесь лежи́т?

43

урок 5

НОВЫЕ СЛОВА

сиде́ть (1)	être assis	конья́к	cognac
лежа́ть (1)	être couché	духи́ (pl.)	parfum
скажи́(те)	dis (dites)-moi	де́вушка	jeune fille
извини́(те)	excuse (excusez)-moi	флако́нчик	flacon
сади́сь	assieds-toi	ро́за	rose
сади́тесь	asseyez-vous		
		ру́сский	russe
компью́тер	ordinateur	францу́зский	français
кио́ск	kiosque	англи́йский	anglais
сигаре́та	cigarette	америка́нский	américain
кассе́та	cassette		
календа́рь (m.)	calendrier	мо́жет быть	peut-être
же́нщина	femme	о́чень	très
мужчи́на	homme		
диске́та	disquette	на (+L)	sur
ша́пка	chapka	в (+L)	dans
стюарде́сса	hôtesse de l'air	пожа́луйста	s'il vous plaît
де́вочка	petite fille	спаси́бо	merci
ма́льчик	petit garçon	да нет!	mais non

ПЕРЕМЕНКА

1 **Testez votre culture générale, en répondant aux questions… en russe !**

1. Адриа́тика? Это … . **2.** ТУ-144? Это … .
3. «Афи́ша»? Это … . **4.** Шане́ль №5? Это … .
5. Санкт-Петербу́рг? Это … . **6.** «Метропо́ль»? Это … .
7. «Нью Йорк Таймс»? Это … .
8. Днепр? Это … .

Гости́ница Метропо́ль

2 **Trouvez les anomalies (il y en a 7 !)**

Образе́ц: Соси́ски лежа́т на телеви́зоре.

СТРАНА И ЛЮДИ

L'espace russe

« *Au nord [...] commence la plus grande forêt du monde – l'empire froid et sombre des sapins, la taïga – qui s'étend sur des milliers de kilomètres jusqu'à la côte du Pacifique. Le milieu de la plaine est occupé par une immense forêt d'essences diverses; et plus au sud commence la steppe, qui ne se heurte à cet endroit-là ni à un désert, ni à des montagnes, mais à d'agréables côtes ensoleillées qui rappellent la Méditerranée.* »

Russka, Edward Rutherford.

◈ De Kaliningrad à Vladivostok, dix fuseaux horaires…

D'après la carte physique, quelle heure est-il pour les habitants de la Tchoukotka, à l'extrême Nord-est du pays, quand le réveil sonne 8 heures pour les Moscovites ?

◈ La Russie est européenne à l'ouest et asiatique à l'est.

Quelle est la frontière naturelle entre les deux ?

◈ Pays le plus vaste du monde, il possède la plus grande étendue de forêt.

Associez chaque couleur de la légende à l'un des trois types de végétation suivants : *степь*, *тайга́*, *ту́ндра*.

◈ Sur le territoire de la Fédération vivent plus d'une centaine de peuples.

Сиби́рская тайга́.

Забайка́льская степь.

Océan Atlantique

Mer de Barents
Mer de Kara
Mer de Sibérie Orientale
Saint-Pétersbourg
Moscou
Iakoutsk
Mer d'Okhotsk
Mer Noire
Mer d'Aral
Mer Caspienne

Ма́ленькие буря́ты.

Урок 6 А
СЕМЬЯ ВЕРЫ БОРИСОВНЫ

ЧТО ДЕЛАЮТ МАКСИМ И ВАЛЕРА?

На́стя: Что вы де́лаете?
Макси́м: Мы игра́ем в ша́хматы.
На́стя: Вале́ра, где но́мер телефо́на Рома́на?
Вале́ра: Я не зна́ю.
На́стя: Как э́то не зна́ешь?
Вале́ра: На́стя, мы игра́ем!

> Вале́ра игра́ет;
> Макси́м то́же игра́ет.

ПРАКТИКА

1 **Смотри́те и составля́йте фра́зы.**

Образе́ц: **а)**  → **б)** Это сестра́ Вале́ры.

   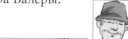

2 **Смотри́те и составля́йте фра́зы.**

Образе́ц: **а)** → **б)** Это Ве́ра Бори́совна и её дом.

3 **Рабо́та в па́рах.**

Une mère demande à son fils (sa fille) ce qu'il (elle) fait.

Il (elle) répond qu'il (elle) est en train de jouer.

Elle demande où se trouve un objet (au choix) qu'elle a égaré.

Il (elle) répond qu'il (elle) sait où il est et donne toutes les précisions nécessaires pour le trouver.

Roman montre des photos de famille à Nastia. Elle lui pose des questions. Imaginez leur dialogue.

Что они делают утром?

Сейчас Настя завтракает в буфете, а её мама работает в музее. А бабушка? Она сидит дома.

Что они делают днём?

Какая это гостиница? Это гостиница «Кострома». Сейчас Шарль и Стефани обедают в ресторане гостиницы. Дедушка работает на почте, а Макар Иванович в турбюро. Сейчас он читает.

Что они делают вечером?

Вечером они ужинают дома. Потом Валера и его дедушка играют в шахматы. Вера Борисовна и её мама читают, а Настя не знает, что делать.

- Игра́ть в ша́хматы, в ка́рты, в домино́.
- **Когда́?** Утром, днём, ве́чером, сейча́с, пото́м.
- **Где?**

В

в шко́ле, в музе́е, в гости́нице, в па́рке, в кио́ске, в рестора́не, в библиоте́ке, в магази́не, в теа́тре, в буфе́те, в фи́рме, в бюро́, в метро́.

НА

на по́чте, на у́лице.

на уро́ке, на рабо́те, на конце́рте.

Дома

ПРАКТИКА

1 **Смотри́те на рису́нки страни́ца 48 и отвеча́йте.**

Образе́ц: **а)** Утром Вале́ра до́ма? → **б)** Нет, он до́ма ве́чером.

1. Ве́чером Жак и Стефани́ в рестора́не? **2.** Утром Мака́р Ива́нович в турбюро́? **3.** Ве́чером Ве́ра Бори́совна в музе́е? **4.** Днём Ве́ра Бори́совна до́ма? **5.** Ве́чером На́стя в буфе́те? **6.** Ве́чером де́душка на рабо́те?

2 **Смотри́те на карти́нки и составля́йте фра́зы.**

Образе́ц: **а)** → **б)** Он рабо́тает в шко́ле.

3 **Смотри́те на карти́нки и вставля́йте пропу́щенные слова́.**

Утром я в шко́ле. Я там з… . Я зна́ю, что ма́ма в музе́е, р… . Ба́бушка не рабо́тает, а с… до́ма. Я обе́даю и у… до́ма, а Стефани́ и Жак о… и ужина́ют в рестора́не гости́ницы «Кострома́». Де́душка р… на по́чте. Ве́чером вся семья́ до́ма. Брат и де́душка и… в ша́хматы, а ма́ма и ба́бушка ч… .

4 **Рабо́та в па́рах.**

Lisez ce dialogue deux fois et rejouez-le avec des personnages de votre choix.

– Алло́! Ве́ра Бори́совна?

– Нет, э́то говори́т На́стя.

– Скажи́, пожа́луйста, где твоя́ ма́ма?

– Она́ сейча́с в музе́е, рабо́тает.

– А…

Que savez-vous déjà dire sur vous et votre famille ?

Faites le maximum de phrases. Voici quelques exemples: Здра́вствуйте! Меня́ зову́т… Я учени́к. Мой па́па инжене́р. Моя́ ма́ма то́же рабо́тает в фи́рме. Я обе́даю в шко́ле…

де́лать (2)	*faire*	буфе́т	*buffet*
игра́ть (2)	*jouer*	рестора́н	*restaurant*
знать (2)	*savoir connaître*	по́чта	*poste*
за́втракать (2)	*prendre son petit déjeuner*	шко́ла	*école*
		теа́тр	*théâtre*
рабо́тать (2)	*travailler*	метро́ (indécl.)	*métro*
обе́дать (2)	*déjeuner*	фи́рма	*firme, entreprise*
чита́ть (2)	*lire*	рабо́та	*travail*
у́жинать (2)	*dîner*	конце́рт	*concert*

ба́бушка	*grand-mère*	то́же	*aussi*
де́душка	*grand-père*	когда́	*quand*
па́па	*papa*	у́тром	*le matin*
ма́ма	*maman*	днём	*l'après-midi, dans la journée*
брат	*frère*		
сестра́	*soeur*	ве́чером	*le soir*
соба́ка	*chien*	до́ма	*à la maison, chez soi*
ша́хматы (pl.)	*échecs*	сейча́с	*maintenant, en ce moment*
домино́	*domino*		
но́мер	*numéro*	пото́м	*ensuite*

ПЕРЕМЕНКА

Découvrez le groupe DDT (Рок-гру́ппа ДДТ)

Le groupe DDT est l'un des plus anciens groupes russes de rock. Il a commencé sa carrière dans les années 1980, à une époque où ce genre de musique était difficilement toléré par les autorités soviétiques. Son succès, dû largement à la personnalité de son chanteur et poète Iouri Chevtchouk, ne s'est jamais démenti. Voici un extrait d'une chanson de l'album « Pétersbourg chien noir » que Iouri Chevtchouk présente ainsi : « Notre album s'appelle "Pétersbourg chien noir". Pourquoi ? Parce que Piter* est un vieux chien noir, sale et sage, qui nous regarde de ses yeux myopes où il y a l'éternité, la mémoire, la douleur et l'amour. Essaie de le caresser, de lui jeter un os, il ne te laissera pas, il ne le prendra pas, il n'est pas de cette race-là. Parce qu'ici il y a les peintres, il y a l'art… »

**Piter:* *nom familier donné par les Pétersbourgeois à leur ville.*

Traduisez les paroles de cette chanson. Vous pouvez les chanter en écoutant le CD.

Петербу́рг чёрный пёс
То́лько я, то́лько ты, я, ты, я, ты.
Се́рдце, на́ше се́рдце живёт.
То́лько я, то́лько ты, я, ты, я, ты.
Се́рдце, на́ше се́рдце живёт.
На́ше се́рдце поёт.
Этот Зве-е́рь!
Эта но-о́чь!
То́лько я, то́лько ты, я, ты, я, ты.
Се́рдце, на́ше се́рдце живёт.

СТРАНА И ЛЮДИ

La vie quotidienne
(Что они́ де́лают?)

◆ Ces photographies, prises en Russie, présentent diverses occupations de tous les jours.

Complétez les légendes.

Вот ... . Она́ рабо́тает в музе́е.

Актёры ... в теа́тре.

... стои́т на у́лице. Он игра́ет на гита́ре.

Де́вушка и молодо́й челове́к ... .

Днём мужчи́ны ... в кафе́.

Же́нщины ... в буфе́те.

Ма́льчик ... на компью́тере.

Утром де́вочки ... в буфе́те.

Урок 7A
ЧТО МЫ ЛЮБИМ ДЕЛАТЬ

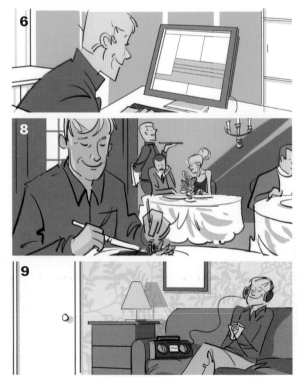

ОНА НЕ ЛЮБИТ МУЗЫКУ

На́дя: Извини́те, пожа́луйста, здесь не дискоте́ка, а библиоте́ка.

Вале́ра: Что вы говори́те?

На́дя: Вы рабо́таете, и́ли слу́шаете му́зыку?

Вале́ра: Я слу́шаю му́зыку и чита́ю газе́ту.

На́дя: А я чита́ю кни́гу и я не люблю́ му́зыку.

> Что он слу́шает? Он слу́шает му́зыку.
> Кого́ он слу́шает? Он слу́шает На́дю.

ПРАКТИКА

1 Заря́дка.

1. Кто кого́ зна́ет? А → В, В → А

Образе́ц: Вале́ра зна́ет Ли́ду.

2. Кто что зна́ет? А + В → Б

Образе́ц: Вале́ра и Ли́да зна́ют у́лицу Гага́рина.

3. Кто кого́ лю́бит? А → В

4. Кто что лю́бит? А + В → Б

2 Чита́йте и продолжа́йте.

Образе́ц: **а)** На́стя / му́зыка. → **б)** – На́стя, ты лю́бишь му́зыку?
– Да, му́зыку я о́чень люблю́.

1. Ни́на Куку́шкина / Москва́. **2.** Мака́р Ива́нович / Кострома́. **3.** Рома́н / Аня. **4.** Вале́ра / ба́бушка. **5.** Аня / гимна́стика.

3 Смотри́те и отвеча́йте. *(Pensez à l'ordre des mots!)*

Образе́ц: **а)** Карти́нка на страни́це 53. Кто сиди́т сле́ва? → **б)** Сле́ва сиди́т Вале́ра.

Карти́нки на страни́це 52.

№ **2.** Кто лежи́т на дива́не? № **1.** Кого́ вы ви́дите? № **10.** Кто стои́т в авто́бусе? № **9.** Где Серге́й Влади́мирович слу́шает ра́дио? № **1.** Где Аня и На́стя? № **3.** Вале́ра лю́бит кури́ть? № **3.** Кого́ вы ви́дите? № **1.** Когда́ Аня и На́стя игра́ют в ка́рты?

ВАМ СЛОВО!

Seul ou à plusieurs, mimez une action que vous savez nommer en russe.
Vos camarades devront la reconnaître.

Образе́ц: Ты обе́даешь в рестора́не.

53

Я ВИЖУ СУМКУ

» **Мари́на:** Смотри́, что там? Ты ви́дишь?

Та́ня: Где?

Мари́на: Ну, там… Я ви́жу су́мку, большу́ю су́мку. А ты?

Та́ня: Нет, я её не ви́жу.

Мари́на: Фле́йта… Он лю́бит му́зыку.

Та́ня: Это она́. Смотри́! Ко́льца…

Мари́на: Да, да э́то де́вочка. А что ещё?

Та́ня: Трико́, журна́л «Гимна́стика»… Она́ о́чень лю́бит гимна́стику!

Мари́на: Мину́точку… Блокно́т… Так, а вот фами́лия… Ро́зов.

Та́ня: Ро́зов? Вале́ра Ро́зов… Я его́ зна́ю: Это това́рищ бра́та.
О-о-о, фотогра́фия! Да э́то же На́стя Ро́зова! Их кварти́ра в до́ме № 30.

» **Мари́на:** Здра́вствуйте! На́стя до́ма?

Серге́й Влади́мирович: Да. На́стя!… На́стя, ты меня́ слы́шишь?

На́стя: Сейча́с!

Мари́на: На́стя, это твоя́ су́мка?

На́стя: Ой! Коне́чно, моя́! Спаси́бо!

30	40	50	60
тридцать	сорок	пятьдесят	шестьдесят
70	80	90	100
семьдесят	восемьдесят	девяносто	сто

- Компью́тер, диске́та, кассе́та, CD [сиди́], DVD [дивиди́], CD пле́ер, DVD пле́ер.
- Му́зыка, рок-му́зыка, гимна́стика, литерату́ра, поэ́зия, грамма́тика, исто́рия, геогра́фия, матема́тика.
- Фами́лия, и́мя.
- Как твоя́ фами́лия? Как твоё и́мя?
- Большо́й ≠ ма́ленький.

ПРАКТИКА

1 Слу́шайте и отвеча́йте.

Образе́ц: **а)** Ве́ра Бори́совна зна́ет Ни́ну Куку́шкину? → **б)** Да, коне́чно, она́ её зна́ет!

1. Ники́та Никола́евич зна́ет Вале́ру? **2.** Макси́м лю́бит Ли́ду? **3.** На́стя слу́шает учи́тельницу? **4.** На́стя лю́бит де́душку? **5.** Рома́н зна́ет На́стю и Аню?

2 Слу́шайте и отвеча́йте.

Connaissez-vous bien les personnages de Reportage 1 ?

1. Как зову́т секрета́ршу?
2. Как зову́т актри́су?
3. Как зову́т па́пу Вале́ры?
4. Как зову́т сестру́ Вале́ры?
5. Как зову́т сестру́ Макси́ма?
6. Как зову́т соба́ку Серге́я Влади́мировича?

3 Смотри́те и отвеча́йте.

Что они́ лю́бят?

Образе́ц: **1.** № 1. Аня лю́бит ру́сскую поэ́зию.

4 Рабо́та в па́рах.

Écoutez ce début de dialogue et rejouez-le avec des personnages de votre choix. Imaginez la suite.

– Алло́!… Алло́!
– …
– Кто э́то? Я пло́хо слы́шу.
– Э́то Макси́м.
– А, Макси́м, здра́вствуй! Где ты?

ВАМ СЛОВО!

L'un de vous sort pendant que vous choisissez l'un de vos camarades. Celui qui est sorti devra deviner de qui il s'agit grâce à vos indications…

Э́то де́вочка (де́вушка). Она́ говори́т по-францу́зски, по-ру́сски и по-испа́нски. Она́ лю́бит слу́шать му́зыку. Она́ не лю́бит исто́рию…

урок 7

люби́ть (1)	aimer	кольцо́	bague, anneau
слу́шать (2)	écouter	трико́ (indécl.)	justaucorps
ви́деть (1)	voir	мину́та	
слы́шать (1)	entendre	(dim. мину́точка)	minute
		блокно́т	bloc-notes
компью́тер	ordinateur	фами́лия	nom de famille
CD пле́ер	lecteur de CD	и́мя (n.)	prénom
DVD пле́ер	lecteur de DVD	това́рищ	camarade
ра́дио (indécl.)	radio	кварти́ра	appartement
му́зыка	musique	заря́дка	gymnastique,
рок-му́зыка	musique rock		mise en train
литерату́ра	littérature		
поэ́зия	poésie	большо́й	grand
исто́рия	histoire	ма́ленький	petit
геогра́фия	géographie		
матема́тика	mathématiques	ещё	encore
дискоте́ка	discothèque	коне́чно	bien sûr
су́мка	sac		
фле́йта	flûte	ну	eh bien

ПЕРЕМЕНКА Rêvons un peu…

Imaginez que vous ayez à convaincre des clients français d'acheter ces appartements de luxe…

ОСТРОВ В МОСКВЕ

15 МИНУТ ОТ КРЕМЛЯ
Москва, Крылатское, между Гребным каналом
и излучиной Москвы-реки.
Оазис жизни в пределах МКАД.

ОСТРОВ В МОСКВЕ
Площадь «Острова» 27 Га. Девственная природа.
Чистое озеро. Преобладающие ветра – юго-западные,
поэтому «Остров» дышит чистым воздухом.

АПАРТАМЕНТЫ
Всего 249 соседей. Свободная планировка, веранды, гаражи.
Интернет, ISDN, спутниковое TV. Охраняемая, огороженная
территория.

КАЧЕСТВО ЖИЗНИ
Спортивно-оздоровительный комплекс, роллердром, кинотеат-
ры, ресторан, кафе, бары, бассейны, аквапарк, боулинг, биль-
ярд, сауна, банкетный зал, супермаркет, солярий, детские пло-
щадки, лодочная станция, пляж, увлекательная рыбалка,
по соседству — гольф-клуб.

СТРАНА И ЛЮДИ

Maisons et appartements

◆ Si l'izba en rondins de bois est encore très présente dans les campagnes russes, les maisons de bois traditionnelles sont devenues rares dans les grandes villes. À l'époque soviétique, elles ont été la plupart du temps remplacées par des immeubles modernes.

◆ Jamais cependant le pouvoir n'a pu satisfaire les besoins de logements de la population, dont cette pénurie a constitué un des problèmes majeurs. Depuis la chute du communisme, ce problème a changé de nature. Ce n'est plus l'insuffisance de la construction par l'État qui est en cause, mais la capacité financière de beaucoup de Russes à accéder au marché de l'immobilier. D'importants programmes de construction sont en cours dans les grandes villes, en particulier à Moscou, mais restent réservés à une minorité privilégiée.

◆ Même citadins, les Russes restent très attachés à la nature, et aiment se reposer à la « datcha », avec ses arbres fruitiers, son potager, ses fleurs, et le samovar sur la terrasse…

Attribuez à chaque photographie sa légende :

• *Ста́рые дома́ и но́вый дом в Москве́.*
• *Типи́чный интерье́р городско́й кварти́ры.*
• *Да́ча недалеко́ от Петербу́рга.*
• *Но́вая кварти́ра в сти́ле «диза́йн».*

Урок 8А
КТО ГДЕ ЖИВЁТ?

О КОМ ОНА ДУМАЕТ?

Ве́ра: Да́йма, о чём ты ду́маешь?
Да́йма: О Пари́же.
Ве́ра: Как э́то о Пари́же?
Да́йма: Ники́та сейча́с там.
Ве́ра: А… ты о му́же ду́маешь. Что он там де́лает?
Да́йма: Рабо́тает, коне́чно.

> Да́йма ду́мает о Пари́же,
> потому́ что её муж сейча́с там.

ПРАКТИКА

1 Смотри́те и отвеча́йте.

Образе́ц: О чём они́ говоря́т?
Ли́да/Рома́н говори́т о …

- краси́вая де́вушка
- но́вая рабо́та
- но́вая кварти́ра
- большо́й магази́н «Видеои́гры»
- но́вая дискоте́ка
- молодо́й челове́к
- но́вый репорта́ж Макси́ма
- америка́нский журна́л «Бьюти»
- францу́зская маши́на
- контро́льная рабо́та

2 Слуша́йте и продолжа́йте.

Образе́ц: **а)** Да́йма ду́мает о Пари́же … .
  а) Она́ ду́мает о Пари́же, потому́ что её муж сейча́с там.

1. На́стя ду́мает о журна́ле «Гимна́стика» … . **2.** Да́йма и Ве́ра говоря́т о Ники́те Никола́евиче … . **3.** Жак и Стефани́ говоря́т о гости́нице «Кострома́» … . **4.** Макси́м говори́т о газе́те «Костроми́ч» … . **5.** Ве́ра Бори́совна говори́т о Костроме́ … .

3 Расскажи́те о себе́.

Vous parlerez de vous en vous aidant des questions qui vous sont proposées.

Образе́ц:

Как вас зову́т?	Что вы де́лаете у́тром?
Кто вы?	А ве́чером?
Кто ваш па́па по профе́ссии? А ва́ша ма́ма?	Что вы лю́бите де́лать?
Вы живёте в го́роде и́ли в дере́вне?	О чём вы лю́бите говори́ть?
В како́м го́роде? / В како́й дере́вне?	

ВАМ СЛОВО !

Deux élèves choisissent un camarade ou un objet de la classe. Ils demandent aux autres:
«О чём мы ду́маем?» *Celui qui trouve les remplace avec un camarade de son choix.*

ЛИДА, ВАЛЕРА И МАКСИМ ЛЮБЯТ ТЕАТР

Актёры слушают режиссёра.

В комнате маленький диван, большой стол и старая картина. На столе красивый букет в большой вазе.

» **Игорь Кузмин:** Лида стоит там, где картина.

Максим: А я где? Что я делаю?

Игорь Кузмин: Ты сидишь слева, читаешь журнал. Твой друг Антон сидит на диванчике; он тихо играет на гитаре. Слышишь, Валера, ты играешь на гитаре.

Валера: Да, да, слышу.

Игорь Кузмин: Лида, тут ты берёшь пистолет. Он в твоей сумке.

» **Валера:** Что? Что она берёт?

Игорь Кузмин: Пис-то-лет. Не карандаш, не книгу, не сумку, а пистолет.

Максим: И что я говорю?

Игорь Кузмин: Ты её спрашиваешь: «Ирина, что ты делаешь?»

Лида: Я не отвечаю.

Игорь Кузмин: Правильно, ты не отвечаешь. Ты открываешь окно и не слышишь Андрея.

Входит* мужчина. Андрей и Антон его не знают. Он медленно открывает портфель.
*Входит: entre.

Роль Ирины играет…
Роль Антона играет…
Роль Андрея играет…

- Теа́тр, актёр, актри́са, режиссёр, пье́са.
- Гита́ра, фле́йта, скри́пка, саксофо́н, тромбо́н, контраба́с, пиани́но.
- Муж, жена́, брат, сестра́, де́душка, ба́бушка, па́па, ма́ма, сын, до́чка.
- Друг, подру́га, това́рищ.
- Открыва́ть ≠ закрыва́ть.

ПРАКТИКА

1 **Смотри́те и продолжа́йте.**

Образе́ц: **а)** 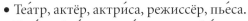 Я → **б)** Я игра́ю на гита́ре.

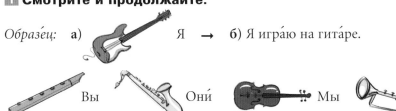

Вы Они́ Мы Ты Она́

2 **Слу́шайте и дополня́йте фра́зы.**

Образе́ц: **а)** Андре́й чита́ет … . → **б)** Андре́й чита́ет журна́л.

1. Актёры слу́шают … . **2.** Вале́ра хорошо́ слы́шит … . **3.** Ири́на берёт … . **4.** Андре́й спра́шивает … . **5.** Ири́на не слы́шит … . **6.** Андре́й и Анто́н не зна́ют … . **7.** Мужчи́на открыва́ет … .

3 **Заря́дка.**

1. Кто кого́ ви́дит? А → Г **3.** Кто что берёт? А → В

2. Где они́ А → Б **4.** Кто кого́ спра́шивает? Г → А

А

Б.

краси́вый парк ма́ленький музе́й шко́льный буфе́т большо́й го́род ста́рый теа́тр

В.

Г.

Inspirez-vous de la scène que Maxime, Lida et Valéra sont en train de répéter sous la direction de leur professeur d'art dramatique Igor Kouzmine, pour inventer et jouer la vôtre. Vous changerez les personnages, la situation, et peut-être aussi les accessoires.

НОВЫЕ СЛОВА

жить (живу́, живёшь, живу́т)	habiter, vivre	пье́са	pièce (de théâtre)
		друг	ami
ду́мать (2)	penser	подру́га	amie
брать (беру́, берёшь, беру́т)	prendre	пистоле́т	pistolet
		гита́ра	guitare
спра́шивать (2)	demander, interroger, questionner	саксофо́н	saxophone
		скри́пка	violon
отвеча́ть (2)	répondre	тромбо́н	trombone
открыва́ть (2)	ouvrir	контраба́с	contrebasse
закрыва́ть (2)	fermer	пиани́но (indécl.)	piano (droit)

проспе́кт	avenue	краси́вый	beau
дере́вня	village, campagne		
ко́мната	pièce (maison, appartement)	ти́хо	doucement
		тут	ici
муж	mari	пра́вильно	c'est exact
жена́	femme (épouse)		
режиссёр	metteur en scène	о(б) + (L)	au sujet de, sur

ПЕРЕМЕНКА

Коме́дия, траге́дия, водеви́ль.

Associez chaque mot de la liste suivante à un numéro du schéma.

декора́ция
бенуа́р
ло́жа
парте́р
кули́сы
бельэта́ж
сце́на
балко́н
орке́стр

Vous n'aurez certainement aucune difficulté à traduire les deux mots suivants :

костю́м
тру́ппа

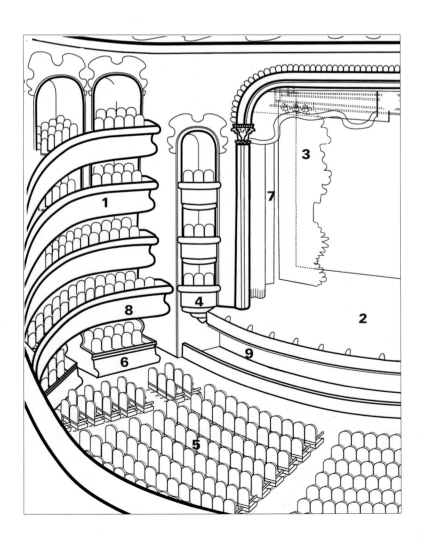

СТРАНА И ЛЮДИ

Les loisirs
(Кто лю́бит теа́тр и кино́?)

Яросла́вль. Драмати́ческий теа́тр им. Фёдора Во́лкова.

Москва́. Большо́й теа́тр о́перы и бале́та.

◆ C'est à Fiodor Volkov, comédien originaire de Kostroma né en 1728, considéré comme le père du théâtre russe, que l'on doit le premier théâtre fixe en Russie. Il se trouve à Iaroslavl.

◆ Mais le théâtre le plus célèbre de Russie est le Bolchoï, dont les chanteurs et les danseurs sont souvent en tournée à l'étranger où ils se produisent sur les plus grandes scènes du monde… Ce grand Opéra de Moscou se trouve en plein centre de la capitale russe. La première troupe a existé dès 1776, avant même la construction du théâtre.

◆ C'est le 8 janvier 1914 que les Pétersbourgeois apprirent que, pour la première fois, un cinéma venait d'ouvrir ses portes dans leur ville. Découvrez le style Art Nouveau de son foyer.

Ce cinéma portait à l'origine un nom anglais. Trouvez-le sur l'affiche ci-contre. Comment s'appelle-t-il aujourd'hui ?

◆ Depuis la chute de l'Union Soviétique, aux divertissements populaires traditionnels, comme le cirque, s'ajoutent les concerts en plein air qui rassemblent de nombreux jeunes.

Observez ce billet d'entrée au concert et trouvez comment s'appelle le stade où il s'est déroulé ?
1. Спарта́к 2. Дина́мо 3. Торпе́до
4. Лужники́ 5. Локомоти́в

Санкт-Петербу́рг. Кинотеа́тр «Авро́ра».

Москва́. Рок-конце́рт. 2004 год.

Санкт-Петербу́рг В ци́рке.

В СПОРТЗАЛЕ

Все смо́трят на На́стю.

Кто лю́бит гимна́стику?
Гимна́стику лю́бят все: па́па
и ма́ма На́сти, мэр Костромы́,
дире́ктор но́вой гости́ницы,
Аня, подру́га На́сти,
Да́йма и её сын, Алёша.
«Вы уже́ зна́ете Да́йму,
говори́т На́стя.
Это подру́га мое́й ма́мы
и жена́ Ники́ты Никола́евича.»

ПРАКТИКА

1 Смотри́те и отвеча́йте.

Образе́ц: **а)** № 1. Что вы ви́дите? → **б)** Я ви́жу мэ́ра и его́ портфе́ль.

№ 3   № 5   № 2   № 4   № 6

2 Смотри́те и скажи́те, что кому́ принадлежи́т.
Retrouvez à qui les objets appartiennent.

но́вая учи́тельница   молода́я де́вушка   ста́рая же́нщина   францу́зская актри́са   ру́сская учени́ца

3 Рабо́та в па́рах.

Lisez le dialogue. Vous vous en inspirerez pour imaginer d'autres scènes en remplaçant le mot дом
par: у́лица, парк, магази́н, теа́тр…

– На что ты смо́тришь?
– Я смотрю́ на дом.
– И что ты ви́дишь?
– Я ви́жу мужчи́ну.
– Что он де́лает?
– Ой! Он берёт пистоле́т!

Lisez le menu du restaurant « Во́лга », où vous vous trouvez avec des amis. Vous discuterez de vos choix (Кто хо́чет сала́т? Ты не лю́бишь икру́?) *puis le serveur prendra la commande* (Что вы берёте?).

ЧЕМПИОНКА КОСТРОМЫ

» **Макси́м:** Приве́т! Что вы тут де́лаете?

Да́йма: И ты меня́ спра́шиваешь? Ты что, не зна́ешь?

Макси́м: Нет, не зна́ю.

Да́йма: Вы слы́шите? Журнали́ст, живёт в Костроме́ и он ничего́ не зна́ет!

Ба́бушка: Как ви́дишь, я открыва́ю буты́лку во́дки. А Серге́й открыва́ет ба́нку чёрной икры́.

Макси́м: Ах! Коне́чно! Я понима́ю! А где Алёша?

» **Серге́й Влади́мирович:** Он то́же тут. Он сиди́т о́коло ба́бушки. Игра́ет в домино́.

Алёша: Я тут! Я тут! Макси́м, ты хо́чешь игра́ть?

Макси́м: Хочу́, но не сейча́с. А Вале́ра до́ма?

Серге́й Влади́мирович: Да, он наве́рно отдыха́ет и́ли смо́трит телеви́зор.

Макси́м: Или игра́ет на компью́тере!

Звоно́к. Тама́ра открыва́ет.

Все: На́стя, на́ша чемпио́нка!

- Сала́т, сыр, суп, икра́, ры́ба, мя́со, рис, пюре́, компо́т, торт, минера́льная вода́, лимона́д, вино́, во́дка, конья́к, чай, ко́фе.
- Спортза́л, стадио́н.
- Сын, до́чка.
- Смотре́ть пье́су, телеви́зор, фильм.
- Во что вы игра́ете? В домино́, в ка́рты, в бридж, в пинг-понг, в те́ннис, в футбо́л, в волейбо́л, в баскетбо́л.
- Бе́лый ☐   ≠   чёрный ■   кра́сный ▨

ПРАКТИКА

1 Смотри́те и продолжа́йте.

Образе́ц: **a)** № 1. 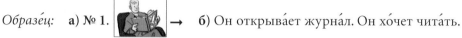 → **б)** Он открыва́ет журна́л. Он хо́чет чита́ть.

2 Dites où se trouve chaque personnage.

Образе́ц: Ве́ра Бори́совна стои́т о́коло центра́льной по́чты.

Composez à plusieurs un questionnaire destiné à vos camarades sur ce qu'ils aiment faire.

Вы лю́бите жить в гости́нице? Вы лю́бите игра́ть на фле́йте?

L'équipe qui aura trouvé le plus de questions aura gagné.

НОВЫЕ СЛОВА

хоте́ть		колле́га (m. ou f.)	collègue
(хочу́, хо́чешь,		сын	fils
хо́чет, хоти́м, хоти́те,		до́чка	fille
хотя́т)	vouloir	чемпио́нка	championne
смотре́ть (1)	regarder	приве́т	salut
понима́ть (2)	comprendre	ба́нка	boîte, bocal
отдыха́ть (2)	se reposer	буты́лка	bouteille
		фильм	film
меню́ (indécl.)	menu	звоно́к	coup de sonnette, sonnerie
заку́ска	entrée	бридж	bridge
сала́т	salade	те́ннис	tennis
суп	soupe	пинг-понг	ping-pong
икра́	caviar	футбо́л	football
блю́до	plat	баскетбо́л	basket-ball
ры́ба	poisson	волейбо́л	volley-ball
мя́со	viande		
котле́та	boulette de viande	япо́нский	japonais
рис	riz	чёрный	noir
пюре́ (indécl.)	purée	кра́сный	rouge
компо́т	fruits au sirop	бе́лый	blanc
торт	gâteau		
лимо́н	citron	все (pl.)	tous, tout le monde
чай	thé	ничего́	rien
ко́фе (m., indécl.)	café		
спортза́л	gymnase	наве́рно	sans doute
стадио́н	stade	о́коло (+G)	à côté de, près de
реда́ктор	rédacteur		

ПЕРЕМЕНКА

Recette des « syrniki »

Ces savoureuses galettes sont souvent servies au petit déjeuner.

Сы́рники

500 г творога́, 3 яйца́, 3 столо́вые ло́жки муки́, са́хар по вку́су.

Смеша́ть муку́, яйца́, и творо́г. Замеси́ть те́сто и заверну́ть руле́том, помести́ть на 20 мину́т в холоди́льник. По́сле чего́ руле́т аккура́тно наре́зать ножо́м на кру́глые ло́мтики. Сде́лать лепёшки (толщина́ 1-1,5 см). Обжа́рить на сковороде́ с ма́слом с двух сторо́н на сла́бом огне́. Сы́рники подава́ть горя́чими со смета́ной, варе́ньем и́ли с са́харом.

Galettes de fromage blanc

500 g de fromage blanc bien égoutté (très consistant et non liquide), 3 œufs, 3 cuillérées à soupe de farine, sucre selon votre goût.

Mélanger la farine, les œufs et le fromage blanc. En faire un boudin de pâte bien consistant d'environ 5 cm de diamètre, et le laisser reposer 20 minutes au réfrigérateur. Le découper ensuite en rondelles de 1 cm-1,5 cm d'épaisseur que l'on aplatit un peu. Faire revenir ces galettes à la poêle, dans du beurre, à feu moyen. Lorsque se forme une croûte brune, les galettes sont cuites. On peut les déguster avec de la crème fraîche, de la confiture ou du sucre.

Прия́тното аппети́та!

СТРАНА И ЛЮДИ

Traditions culinaires et hospitalité

◆ Voici quelques-uns des mets appréciés des Russes…

Quelles raisons (géographiques, climatiques…) expliquent selon vous la consommation fréquente de ces produits ?

◆ Comme vous le voyez sur la photo ci-dessous, il est d'usage en Russie que les entrées et hors-d'œuvre, ainsi que les boissons, soient déjà sur la table lorsque les invités arrivent chez leurs hôtes. D'autres règles de savoir-vivre sont différentes de celles auxquelles on se conforme généralement en France.

Si vous les connaissez, vous saurez répondre à ce questionnaire (plusieurs réponses sont possibles). Les solutions sont en bas de page.

1. On peut inviter des amis à dîner :
   a) plusieurs jours avant,
   b) quelques heures avant,
   c) juste avant, si on se trouve en leur compagnie
      à proximité de chez soi.

2. Il est d'usage d'offrir
   à la maîtresse de maison :
   a) un bijou,
   b) des fleurs,
   c) un verre à thé.

3. Il convient, en arrivant chez ses hôtes
   de se déchausser et :
   a) d'enfiler des chaussons que l'on a apportés,
   b) d'enfiler des chaussons prêtés par les hôtes,
   c) de rester pieds nus.

4. Les hôtes ou leurs invités
   prononcent un toast :
   a) au début du repas seulement,
   b) à la fin du repas seulement,
   c) chaque fois que l'on remplit les verres.

5. Au cours du repas ou à la fin,
   les convives peuvent se lever pour :
   a) fumer à l'extérieur de la pièce,
   b) danser,
   c) prendre l'air.

6. On remercie généralement ses hôtes :
   a) après l'apéritif,
   b) après le repas,
   c) le lendemain.

Solutions :
1 : a, b, c. 2 : b. 3 : a, b. 4 : c. 5 : a, b, c. 6 : b.

Урок 10 А
КУДА ОНИ ИДУТ?

ИНТЕРВЬЮ ИГОРЯ КУЗМИНА

ТИХО! ПРЯМОЙ ЭФИР

Вы уже зна́ете Ли́ду. Это подру́га Макси́ма. Её профе́ссия – радиожурнали́ст.

Ли́да: Вы слу́шаете интервью́ Игоря Кузьмина́. Игорь – режиссёр моско́вского теа́тра «Иллюзио́н». Около него́ сиди́т его́ жена́, актри́са Ни́на Куку́шкина. Игорь, ва́ши актёры игра́ют пье́су Че́хова…

ПРА́КТИКА

1 Заря́дка.

| Б | А | Б | А | Б | А | Б | А | Б | А |

РЕСТОРАН ТЕА́ТР МАГАЗИН ПАРК БАНК

| В | В | В | В | В |

1. Кто они́? А → Б, Б → А
Образе́ц: Ве́ра Бори́совна сестра́ Макси́ма.
3. Куда́ они́ иду́т? Б → В

2. Где они́ стоя́т? А → Б
Образе́ц: Ве́ра стои́т о́коло рестора́на.

2 Смотри́те и продолжа́йте.

Образе́ц: Я стою́ о́коло него́.

3 Слу́шайте и продолжа́йте.

Образе́ц: **а)** Режиссёр рабо́тает в пари́жском теа́тре.
→ **б)** Это режиссёр пари́жского теа́тра.

1. Гид рабо́тает в моско́вском музе́е. **2.** Актри́са рабо́тает в ру́сском теа́тре. **3.** Фото́граф рабо́тает в америка́нском журна́ле. **4.** Дире́ктор рабо́тает в но́вом рестора́не. **5.** Реда́ктор рабо́тает в англи́йском журна́ле. **6.** Профе́ссор рабо́тает во францу́зском институ́те.

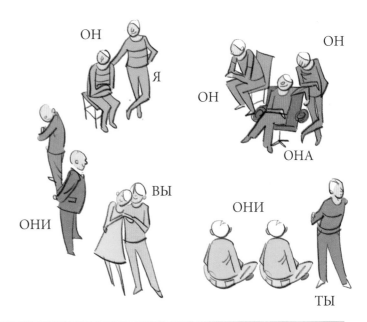

ОН ОН ОН Я ОНА ВЫ ОНИ ОНИ ТЫ

ВАМ СЛОВО!

Dites à tour de rôle à côté de qui vous êtes assis au cours de russe, de français…
Posez des questions à vos camarades sur le même sujet.

На уро́ке ру́сского языка́ я сижу́ о́коло… На уро́ке исто́рии…

урок 10B

ИГОРЬ И НИНА ИДУТ В МУЗЕЙ

» Игорь Кузми́н и Ни́на Куку́шкина в Москве́. Они́ живу́т в гости́нице «Национа́ль», в це́нтре росси́йской столи́цы, недалеко́ от Кремля́.

Гости́ница Национа́ль

Утром. В гости́нице.

Ни́на: Игорёк, слу́шай, вот мои́ пла́ны: у́тром мы идём в музе́й Че́хова[1] и в музе́й Пу́шкина[2], а ве́чером мы идём в кино́ смотре́ть фильм Хи́чкока.

Игорь: А в ГУМ[3]?

Ни́на: В ГУМ? Да, да, коне́чно! Пошли́!

» **Днём. На Пречи́стенке.**

Игорь (смо́трит план Москвы́): Тепе́рь мы идём напра́во.

Ни́на: Почему́ напра́во?

Игорь: Потому́ что музе́й Пу́шкина там.

Ни́на: Ах да, музе́й… Музе́й пото́м. Ви́дишь там, францу́зский магази́н «Пари́ж». В э́том магази́не о́чень хоро́шие пода́рки. Идём!

В магази́не Ни́на покупа́ет буты́лку кра́сного вина́, францу́зские духи́, конфе́ты, но́вые CD, раке́тку, краси́вую кни́гу о Пари́же…

» **Ве́чером. В гости́нице.**

Ни́на смо́трит поку́пки.

Ни́на: Это для Ве́ры, э́то для Серёжи, а э́то для… Нет, э́то секре́т…

Игорь: Слу́шай, Ни́ночка, я не могу́ идти́ в кино́. Я так уста́л[4]!

Ни́на: Не мо́жешь?… Ну ла́дно, сиди́ в гости́нице. А я иду́ в кино́!

1. Музе́й Че́хова: musée Tchekhov (écrivain russe 1860-1904).
2. Музе́й Пу́шкина: musée Pouchkine (poète et écrivain russe 1799-1837).
3. ГУМ : le Goum, un des plus grands magasins de Moscou.
4. Я так уста́л : je suis si fatigué !

ГУМ

- Пу́шкин, Че́хов, Молье́р, Шекспи́р.
- Хоро́ший ≠ плохо́й.
- Напра́во ≠ нале́во.
- Далеко́ ≠ недалеко́.

ПРАКТИКА

1 **Замени́те карти́нки слова́ми.**

Сего́дня у́тром мы идём в музе́й Пу́шкина, в , пото́м в . Днём мы

идём в , на , пото́м в . Почему́? Ты же зна́ешь, что наш друг

Воло́дя там рабо́тает. А ве́чером мы идём в смотре́ть фильм Спи́льберга.

2 **Заря́дка.**

Что они́ покупа́ют? Для кого́?

3 **Рабо́та па́рах.**

Lisez le dialogue suivant et rejouez-le avec des personnages et des lieux de votre choix.

– Здра́вствуй, Русла́н!

– Здра́вствуй, Ната́ша! Как живёшь?

– Спаси́бо, хорошо́. А ты?

– То́же хорошо́. Куда́ ты идёшь?

– В банк, а ты?

– Я иду́ в кино́.

Vous êtes au Goum et vous achetez un cadeau pour chacun des membres de votre famille et vos amis. Racontez.

урок 10

НОВЫЕ СЛОВА

идти́	
(иду́, идёшь, иду́т)	aller
покупа́ть (2)	acheter
мочь	
(могу́, мо́жешь, мо́гут)	pouvoir

кинотеа́тр	cinéma
банк	banque
бассе́йн	piscine
интервью́ (indécl.)	interview
профе́ссия	profession
радиожурнали́ст	journaliste de radio
центр	centre
столи́ца	capitale
план	plan, projet
конфе́та	bonbon
раке́тка	raquette
поку́пка	achat
пода́рок	cadeau
секре́т	secret

моско́вский	moscovite, de Moscou
росси́йский	russe
хоро́ший	bon, beau
плохо́й	mauvais

куда́	où
туда́	là-bas
сюда́	ici
домо́й	à la maison, chez soi
уже́	déjà
далеко́	loin
недалеко́	pas loin
напра́во	à droite
нале́во	à gauche
ла́дно	bon, d'accord

далеко́ от (+G)	loin de
недалеко́ от (+G)	non loin de
для (+G)	pour

ПЕРЕМЕНКА

Биле́ты, биле́ты…

*Regardez les billets
qui vous sont proposés.
Où souhaiteriez-vous aller?*

1 Faites votre choix et exprimez-le.

Образе́ц: Я хочу́ идти́ в / на…
   Я покупа́ю биле́т в / на…

**2 Trouvez sur chacun des billets
l'élément qui a été dissimulé.**

Moscou
(Москва́ всем города́м мать)

◈ Moscou est une ville chère au cœur des Russes. Elle est évoquée dans de nombreux dictons dont voici quelques exemples.

Кто в Москве́ не быва́л, красоты́ не вида́л.

Но́вгород оте́ц, Ки́ев мать, Петербу́рг голова́, Москва́ се́рдце.

Москва́ золоты́е ма́ковки.

Москва́ ца́рство...

В Москве́ ка́ждый день пра́здник.

Москва́ не сра́зу стро́илась.

Урок 11A
САЙТ МОСКОВСКОЙ ШКОЛЫ №138!

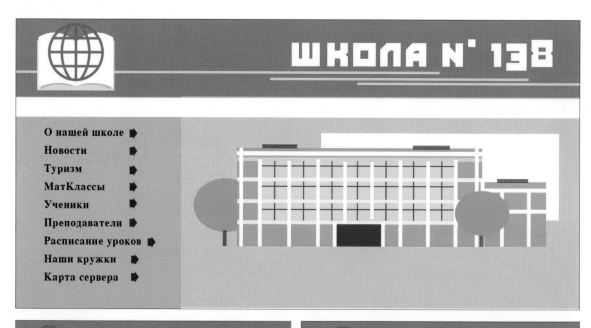

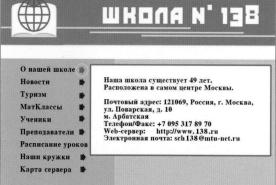

Наша школа существует 49 лет.
Расположена в самом центре Москвы.

Почтовый адрес: 121069, Россия, г. Москва,
ул. Поварская, д. 10
м. Арбатская
Телефон/Факс: +7 095 317 89 70
Web-сервер: http://www.138.ru
Электронная почта: sch138@mtu-net.ru

Преподаватели математики ▶
▶ Маркелов Анатолий Иванович
Преподаватель математики.
* Работает в нашей школе с 1966 г.
* Общий педагогический стаж 31 год.
Преподаватели русского языка и литературы ▶
Преподаватели истории ▶
Преподаватели географии ▶
Преподаватели физики ▶
Преподаватели химии ▶
Преподаватели английского языка ▶
Преподаватели немецкого языка ▶
Преподаватели информатики ▶
Преподаватели физкультуры ▶
Преподаватели труда ▶
Преподаватели начальной школы ▶

Понедельник ▶	математика
11-й А	экономика
	литература
	физика
	немецкий яз.
	физкультура

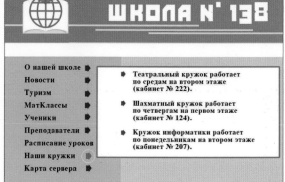

▶ Театральный кружок работает
по средам на втором этаже
(кабинет № 222).

▶ Шахматный кружок работает
по четвергам на первом этаже
(кабинет № 124).

▶ Кружок информатики работает
по понедельникам на втором этаже
(кабинет № 207).

В ЯРОСЛАВЛЕ

Сего́дня суббо́та. Ли́да и На́стя в Яросла́вле. Это большо́й го́род на Во́лге недалеко́ от Костромы́. Здесь в це́нтре го́рода есть це́рковь Рождества́*, но они́ не зна́ют, где она́.

Ли́да: Молодо́й челове́к! Скажи́те, пожа́луйста, где це́рковь Рождества́?
Молодо́й челове́к: Иди́те пря́мо, пото́м нале́во. Ви́дите, где лю́ди стоя́т? Это совсе́м недалеко́.
Ли́да: Спаси́бо, до свида́ния!

*Це́рковь Рождества́: *Église de la Nativité.*

> Это челове́к, а э́то лю́ди.

Це́рковь
Рождества́.

ПРАКТИКА

1 Смотри́те и составля́йте фра́зы.

Образе́ц: **а)** Понеде́льник  → **б)** В понеде́льник Рома́н игра́ет на компью́тере.

1. Вто́рник

2. Среда́

3. Четве́рг

4. Пя́тница

5. Суббо́та

6. Воскресе́нье

2 Рабо́та в па́рах.
Образе́ц: **№ 1.** Мэ́рия
    а) - Скажи́те, пожа́луйста, где мэ́рия?
→ **б)** - Иди́те пря́мо, пото́м напра́во.

№2. Турбюро́.
№3. Те́ннисный корт.
№4. Кни́жный магази́н «Золото́е кольцо́».
№5. Фотосало́н
№6. Пло́щадь Во́лкова.

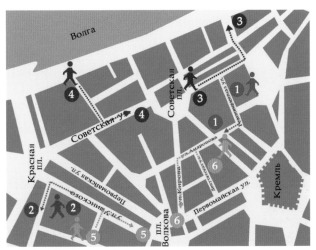

Яросла́вль.

АЛЁША ХОДИТ В ШКОЛУ, А ЭЛЛА НЕТ.

» **Ве́ра Бори́совна:** Здра́вствуй, Алёшенька! Како́й ты большо́й! А па́па и ма́ма до́ма?

Алёша: Да, они́ в э́той ко́мнате. Па́па! Ма́ма!

Да́йма: Сейча́с! Мину́точку!

Ве́ра Бори́совна: Ну, Алёша, ты наве́рно уже́ хо́дишь в шко́лу?

Алёша: Да, хожу́.

Ве́ра Бори́совна: А твои́ люби́мые предме́ты, каки́е?

Алёша: Я люблю́ матема́тику, физкульту́ру, и коне́чно англи́йский язы́к. Тётя Ве́ра[1], вы зна́ете, в э́том году́[2] я учу́ англи́йский! Хоти́те посмотре́ть мою́ сестри́чку? Её зову́т Элла. Идём!

» Они́ иду́т в ко́мнату.

Да́йма: Здра́вствуй! Ве́рочка! Вот она́, на́ша Элло́чка!

Ве́ра Бори́совна: Ой, кака́я пре́лесть[3]! Да́йма, у тебя́ прекра́сные де́ти!

Алёша: Вы зна́ете, ка́ждый день мы хо́дим в парк. Там я её ката́ю.

Да́йма: Да, Алёша ча́сто её ката́ет и да́же купа́ет!

Ве́ра Бори́совна: Каки́е ма́ленькие ру́чки! Како́е краси́вое ли́чико[4]! Ко́пия ма́мы!

Ники́та Никола́евич: И па́пы то́же!

1. Тётя Ве́ра: mot à mot, tante Véra. Pour s'adresser aux adultes, les petits enfants emploient les mots тётя et дя́дя.
2. В э́том году́: cette année.
3. Кака́я пре́лесть!: (ici) Elle est adorable !
4. Ли́чико (dim. de лицо́): visage.

1-й пе́рвый	2-й второ́й	3-й тре́тий	4-й четвёртый	5-й пя́тый	6-й шесто́й
7-й седьмо́й	8-й восьмо́й	9-й девя́тый	10-й деся́тый	11-й оди́ннадцатый	12-й двена́дцатый

- Понеде́льник, вто́рник, среда́, четве́рг, пя́тница, суббо́та, воскресе́нье.
- Америка́нский, англи́йский, ара́бский, испа́нский, италья́нский, неме́цкий, ру́сский, францу́зский, япо́нский.
- Челове́к / лю́ди, ребёнок / де́ти.
- Ка́ждый день, ка́ждую неде́лю.

ПРАКТИКА

1 **Смотри́те и продолжа́йте.**

Образе́ц: **а)** Этот ма́льчик о́чень ма́ленький. → **б)** Како́й он ма́ленький!

1. Эта ша́пка о́чень больша́я.   2. Эти ту́фли о́чень ма́ленькие.

3. Этот календа́рь о́чень ста́рый.   4. Это панно́ о́чень краси́вое.

5. Эта учи́тельница о́чень молода́я.

2 **Слу́шайте и продолжа́йте.**

Образе́ц: **а)** Сего́дня вто́рник. Вале́ра идёт в бассе́йн. → **б)** Он хо́дит в бассе́йн ка́ждый вто́рник.

1. Сего́дня четве́рг. Серге́й Влади́мирович идёт в банк. **2.** Сего́дня среда́. Ве́ра Бори́совна идёт в слортза́л. **3.** Сего́дня суббо́та. Ни́на Куку́шкина идёт в музе́й. **4.** Сего́дня воскресе́нье. И́горь Кузьми́н идёт на стадио́н. **5.** Сего́дня понеде́льник. На́стя идёт в библиоте́ку. **6.** Сего́дня пя́тница. Да́йма идёт на те́ннисный корт.

3 **Слу́шайте и отвеча́йте.**

Образе́ц: **а)** На́дя лю́бит чита́ть? → **б)** Да, она́ ча́сто хо́дит в библиоте́ку.

1. Ни́на Куку́шкина лю́бит смотре́ть фи́льмы? **2.** Серге́й Влади́мирович лю́бит игра́ть в футбо́л? **3.** Макси́м и Ли́да лю́бят смотре́ть пье́сы? **4.** Ба́бушка лю́бит гуля́ть? **5.** Вале́ра лю́бит игра́ть в те́ннис? **6.** Да́йма лю́бит смотре́ть карти́ны? **7.** На́стя и А́ня лю́бят де́лать поку́пки? **8.** Ве́ра Бори́совна лю́бит слу́шать класси́ческую му́зыку?

4 **Рабо́та в па́рах.**

Votre partenaire est un jeune homme. Vous êtes dans la rue et vous vous adressez à lui pour demander divers renseignements. Il répondra bien sûr à ces questions.

Молодо́й челове́к, скажи́те, пожа́луйста, где магази́н «Кострома́»?

Vous rencontrez un ami qui est accompagné d'un enfant (son petit frère, sa sœur, son fils…) que vous ne connaissez pas. Imaginez la conversation entre les trois personnages (ou deux si l'enfant est un bébé).

ходи́ть (indét. 1)	*aller*	суббо́та	*samedi*
учи́ть (1)	*étudier*	воскресе́нье	*dimanche*
ката́ть (2)	*promener*	тётя	*tante*
купа́ть (2)	*baigner*	дя́дя	*oncle*
		ребёнок	*enfant*
сайт	*site*	де́ти (pl.)	*enfants*
преподава́тель	*enseignant, professeur*	лицо́	*visage*
предме́т	*matière (scolaire)*	рука́	*main, bras*
расписа́ние уро́ков	*emploi du temps*	ко́пия	*copie*
язы́к	*langue*		
фи́зика	*physique*	ара́бский	*arabe*
хи́мия	*chimie*	испа́нский	*espagnol*
биоло́гия	*biologie*	италья́нский	*italien*
физкульту́ра	*éducation physique*	неме́цкий	*allemand*
труд	*travaux manuels*	люби́мый	*préféré*
рисова́ние	*dessin*	прекра́сный	*très beau*
неде́ля	*semaine*	ка́ждый	*chaque*
день (m.)	*jour*		
понеде́льник	*lundi*	сего́дня	*aujourd'hui*
вто́рник	*mardi*	пря́мо	*tout droit*
среда́	*mercredi*	ча́сто	*souvent*
четве́рг	*jeudi*	да́же	*même*
пя́тница	*vendredi*		

ПЕРЕМЕНКА

Web-страница

Imaginez que vous travaillez en Russie et que vous devez vous servir d'un ordinateur. Nous vous aidons dans vos premiers pas en vous proposant une page web en russe et les équivalents français des mots que vous voyez à l'écran. Mettez les termes des deux langues en relation (vous pouvez ouvrir une page web en français, cela vous facilitera la tâche).

Обучение. Ру – Образовательный портал – Internet Explorer

1. Файл	a) Favoris
2. Правка	b) Media
3. Вид	c) Liens
4. Избранное	d) Rechercher
5. Сервис	e) Affichage
6. Справка	f) Précédente
7. Назад	g) Outils
8. Поиск	h) Adresse
9. Медиа	i) Fichier
10. Адрес	j) Ouverture de la page
11. Переход	k) Édition
12. Ссылки	l) Rétablir
13. Открытие страницы	m) Aide

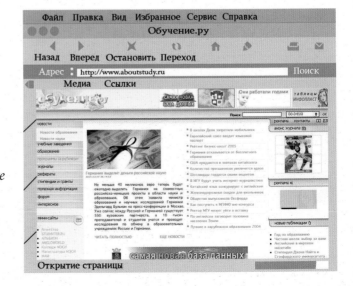

СТРАНА И ЛЮДИ

L'école russe

◆ En Russie, les cursus primaire et secondaire se font au sein d'une même école. Le CP est la 1re classe (пе́рвый класс) et la Terminale la 11e (оди́ннадцатый класс).

Нача́льная шко́ла					Сре́дняя шко́ла						
CP	CE1	CE2	CM1	CM2	6^e	5^e	4^e	3^e	2^e	1re	T
1-й класс		2-й класс	...	...	...	6-й класс	...	...	...	...	...

Un ami russe vous demande dans quelle classe vous êtes. Vous lui répondez en vous référant au système russe présenté dans le tableau ci-dessus.

◆ Certaines écoles sont des écoles « à profil » (специа́льные шко́лы). Les élèves y suivent un enseignement approfondi dans une discipline dès la 1re ou la 2e classe.

Que pouvez-vous dire de l'école dont vous voyez la plaque (image ci-contre) ?

◆ Les élèves ont généralement cours le matin. Chaque cours dure 40 ou 45 minutes. Un élève qui commence sa journée à 8 ou 9 heures du matin sort au plus tard à 15 heures. Le temps restant peut être consacré à des activités extra-scolaires, soit dans les Maisons des jeunes (дворцы́ тво́рчества ю́ных), soit dans des écoles artistiques.

Quelles sont les disciplines enseignées dans cette école (image ci-contre) ? À qui s'adresse-t-elle ?

◆ Les enfants de moins de 6 ans peuvent être accueillis dans des établissements qui correspondent à nos écoles maternelles.

Comment s'appellent ces établissements ?

◆ La fin des études secondaires est sanctionnée par un diplôme (аттеста́т зре́лости). Il faut cependant passer un concours pour accéder aux études supérieures qui durent 5 ans au minimum.

Урок 12 А
В НАШЕЙ ДЕРЕВНЕ ЕСТЬ ПОЧТА И ШКОЛА

НА УРОКЕ ФИЗКУЛЬТУРЫ

Вы уже́ зна́ете На́дю. Она́ у́чится на социологи́ческом факульте́те в Костромско́м университе́те. Вале́ра то́же у́чится в э́том университе́те. Он студе́нт истори́ческого факульте́та. Сейча́с у них уро́к физкульту́ры. И вы зна́ете, куда́ они́ иду́т? Они́ иду́т в Центра́льный парк ката́ться на лы́жах!

Ле́том там то́же непло́хо. Они́ ча́сто хо́дят туда́ игра́ть в волейбо́л.

ПРАКТИКА

1 Чита́йте и продолжа́йте.

Regardez cette carte d'étudiant avec votre professeur avant de faire l'exercice.

Образе́ц: **а)** Влади́мир – студе́нт пе́рвого ку́рса социологи́ческого факульте́та.
→ **б)** Он у́чится на пе́рвом ку́рсе социологи́ческого факульте́та.

1. Еле́на – студе́нтка пя́того ку́рса математи́ческого факульте́та. 2. И́горь – студе́нт второ́го ку́рса физи́ческого факульте́та. 3. Русла́н – студе́нт пе́рвого ку́рса юриди́ческого факульте́та. 4. Екатери́на – студе́нтка четвёртого ку́рса педагоги́ческого институ́та. 5. Ю́рий – студе́нт шесто́го ку́рса медици́нского институ́та.

2 Рабо́та в па́рах.

C'est l'été. En vacances à Bélovo, Nadia rencontre son amie Katia.

Nadia demande à Katia où elle va.

Nadia demande si elle va se baigner.

Nadia demande si elle va souvent au lac.

Nadia demande si elle se baigne en hiver.

Katia répond qu'elle va au lac.

Katia répond affirmativement.

Katia répond affirmativement et précise qu'elle aime beaucoup se baigner.

Bien sûr, lui dit Katia.

3 Слу́шайте и отвеча́йте.

В ва́шем го́роде есть университе́т? Оперный теа́тр? Олимпи́йский бассе́йн? Аэропо́рт? На ва́шей у́лице есть большо́й магази́н?

В ва́шей шко́ле есть буфе́т? Большо́й спортза́л? Кабине́т фи́зики? Кабине́т ру́сского языка́? Кабине́т англи́йского языка́?

В ва́шем кла́ссе есть телеви́зор? Видеомагнитофо́н? Географи́ческая ка́рта?

В ва́шей шко́ле есть италья́нский язы́к? Ара́бский язы́к? Япо́нский язы́к?

ВАМ СЛОВО!

Il y a vraiment tout ce qu'on peut désirer dans votre ville (votre village…) ! Chacun devra dire à son tour une phrase commençant par:

В моём го́роде есть… (университе́т, цирк…).

Celui qui ne peut citer de lieu est éliminé.

А У ВАС ЕСТЬ ВИДЕОМАГНИТОФОН?

» **На́дя:** До́брый день, Федо́ра Епифа́новна! Меня́ зову́т На́дя. Я студе́нтка социологи́ческого факульте́та.

Федо́ра Епифа́новна: Что ты говори́шь? Како́го факульте́та?

На́дя: Социологи́ческого. Мы изуча́ем, как живу́т в дере́вне.

Федо́ра Епифа́новна: Ну что, до́ченька: живём, рабо́таем.

На́дя: Скажи́те, пожа́луйста, у вас есть телеви́зор?

Федо́ра Епифа́новна: А как же! У меня́ есть ста́рый телеви́зор, а у Да́рьи Алекса́ндровны – но́вый, хоро́ший. Я фи́льмы люблю́ смотре́ть, и рекла́му.

» **На́дя:** А видеомагнитофо́н у вас есть?

Федо́ра Епифа́новна: Видеомагнитофо́на нет, а вот у Ми́ти есть. Это мой сын. Он живёт в го́роде, у́чится в университе́те. Он у́чит италья́нский язы́к.

Да́рья Алекса́ндровна: А мой уже́ рабо́тает. Он шофёр.

На́дя: Да́рья Алекса́ндровна, а моби́льный телефо́н у вас есть?

Да́рья Алекса́ндровна: Нет, у меня́ нет…

Федо́ра Епифа́новна: А у моего́ Ми́ти есть моби́льный.

Да́рья Алекса́ндровна: Ми́тя, Ми́тя… Как она́ лю́бит своего́ сы́на… Всегда́ ду́мает о нём, говори́т о нём…

- Весно́й, ле́том, о́сенью, зимо́й.
- До́брое у́тро! До́брый день! До́брый ве́чер!
- Ра́дио, телеви́зор, видеомагнитофо́н, пле́ер, CD пле́ер, DVD пле́ер, моби́льный телефо́н.
- Студе́нт, студе́нтка, университе́т, факульте́т, институ́т, курс.
- Математи́ческий, физи́ческий, филосо́фский, социологи́ческий, истори́ческий, юриди́ческий, медици́нский, педагоги́ческий.

ПРАКТИКА

1 Смотри́те, слу́шайте и продолжа́йте.

Образе́ц: **а)** У Макси́ма есть но́вая маши́на. → **б)**

У моего́ бра́та есть но́вая маши́на!

1. У На́сти есть но́вый друг.   2. У Ани есть больша́я соба́ка.

3. У Серге́я есть но́вый компью́тер.   4. У Да́ймы есть ма́ленькая де́вочка.

5. У Вале́ры есть но́вый пле́ер.   6. У Ли́ды есть CD ДДТ.

2 Смотри́те и продолжа́йте.

Образе́ц: **а)** → **б)**Макси́м ду́мает о свое́й маши́не.

3 Рабо́та в па́рах.

Vous rencontrez un jeune Russe qui vous pose des questions sur vous.
Votre camarade jouera le rôle de ce garçon ou de cette fille et vous lui répondrez. Vous lui poserez ensuite des questions du même type et il imaginera les réponses.

Учени́к А:
– Где ты живёшь?
– У тебя́ есть брат и́ли сестра́? Как его́ (её) зову́т? Он(а́) рабо́тает и́ли у́чится? Где?
– Что ты лю́бишь в шко́ле?
– Где ты отдыха́ешь ле́том?

Учени́к Б:
– В како́й шко́ле ты у́чишься? В како́м кла́ссе? Каки́е языки́ ты изуча́ешь?
– Что ты лю́бишь де́лать в суббо́ту-воскресе́нье?

Posez à vos camarades les questions les plus insolites possible sur ce qu'ils possèdent ou non...

У тебя́ есть тромбо́н? У тебя́ есть самолёт? У тебя́ есть ико́на?

урок 12

НОВЫЕ СЛОВА

ката́ться (2)		зелёный	vert
на конька́х	faire du patin à glace	голубо́й	bleu (ciel)
ката́ться (2)		до́брый	bon
на лы́жах	faire du ski	социологи́ческий	sociologique
купа́ться (2)	se baigner	математи́ческий	mathématique
учи́ться (1)	faire des études		(de mathématiques)
изуча́ть (2)	étudier, apprendre	физи́ческий	physique
		филосо́фский	philosophique
о́зеро	lac	истори́ческий	historique
коньки́ (pl.)	patins à glace	юриди́ческий	juridique (de droit)
лы́жи (pl.)	skis	медици́нский	médical (de médecine)
университе́т	université	педагоги́ческий	pédagogique
студе́нт	étudiant	костромско́й	de Kostroma
студе́нтка	étudiante	моби́льный	portable, mobile
факульте́т	faculté		
институ́т	institut	ле́том	en été
курс	année (d'études)	о́сенью	en automne
рекла́ма	publicité	зимо́й	en hiver
видеомагнитофо́н	magnétoscope	весно́й	au printemps
калькуля́тор	calculatrice	совсе́м	tout à fait
пле́ер	baladeur	всегда́	toujours
свой	mon, ton, son, notre, votre, leur (réfléchi)	у (+G)	chez
		есть	il y a
жёлтый	jaune	нет	il n'y a pas

ПЕРЕМЕНКА

Dans le salon des Rozov…

Sergueï Vladimirovitch a rangé les affaires que Nastia et Valéra avaient laissé traîner dans le salon. Vous direz en regardant les deux images ce qui a disparu après son passage…

СТРАНА И ЛЮДИ

Plaisirs d'hiver

◀ Le long hiver russe, malgré son froid glacial et sa monotonie, est une période pleine de plaisirs, surtout pour les enfants.

Trouvez une légende en russe pour chaque image (motoneige: снегоход).

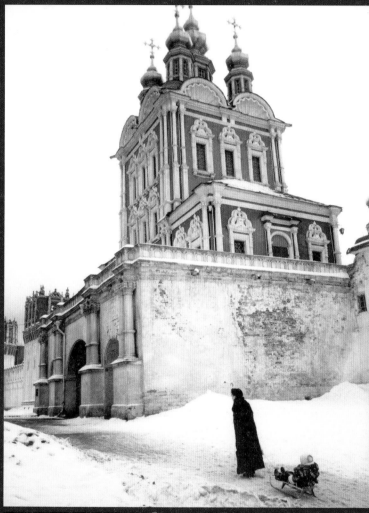

Урок 13 A
В МАРТЕ У НИХ ЭКСКУРСИЯ В МОСКВУ

ШКОЛА №12   Наша программа

Сентябрь: Экскурсия в Сочи.

Октябрь: Вечер французской поэзии.

Ноябрь: Лыжная прогулка.

Декабрь: Фестиваль американского кино.

Январь: Спортивная гимнастика Суздаль-Кострома. Наши ученики в Париже.

Февраль: Футбольный матч Суздаль-Владимир.

Март: Экскурсия в Москву.

Апрель: Концерт классической музыки в школе.

Май: Конкурс «Кострома в литературе».

Июнь: Экзамены.

Июль – август: Каникулы.

НАСТЯ ПИШЕТ ПАПЕ И МАМЕ

На́стя пи́шет письмо́ Серге́ю Влади́мировичу. Он сейча́с в Петербу́рге. Она́ пи́шет, что она́ в Москве́, что сего́дня ко́нкурс в шко́ле № 138. Она́ говори́т, что ча́сто ду́мает о нём.

На́стя пи́шет не то́лько па́пе в Петербу́рг, но и ма́ме в Кострому́. Она́ говори́т, что у них в апре́ле конце́рт класси́ческой му́зыки и в ма́е о́чень интере́сный ко́нкурс…

ПРАКТИКА

1 Смотри́те и составля́йте фра́зы.

А. *Образе́ц:* **а)**

> Здравствуй, Олег !
> Извини, что так долго не писал. Я теперь работаю в магазине и у меня мало свободного времени.
> До скорого !
> Владимир

→ **б)** Влади́мир пи́шет Оле́гу.

> Дорогой Андрей !
> Я сейчас в Москве. Вчера я видела спектакль "Три сестры" во МХАТе. Мне очень понравилось. Когда приеду, расскажу всё о поездке.
> До встречи, Настя.

> Милая Оля !
> Я очень соскучился по тебе. Я тебя люблю и крепко целую.
> Игорь

> Здравствуй, Роман !
> Прежде всего поздравляю тебя с днём рождения. Надеюсь, что мы скоро увидимся в Москве. Я приеду в Питер в мае. Пиши.
> Твоя Люся.

Б. *Образе́ц:* **а)** Влади́мир пи́шет Оле́гу. → **б)** Тепе́рь Оле́г отвеча́ет Влади́миру.

2 Рабо́та в па́рах.

Nastia appelle son père à Saint-Pétersbourg.
Elle lui demande comment il va.
Elle lui dit qu'elle est en ce moment
au Kremlin et que ce soir ils vont au Bolchoï.
Elle ne sait pas.
Elle lui raconte qu'il y a une piscine
dans l'école et qu'ils y vont tous les jours.
Elle lui demande ce qu'il fait le soir.

*«Како́й спекта́кль идёт сейча́с в Большо́м?»

Sergueï Vladimirovitch lui répond.
Il répond qu'il travaille.

Il demande quel spectacle on donne en ce moment.*

Il y a aussi une piscine dans l'hôtel
où il est descendu, mais il ne se baigne pas.
Il répond qu'il travaille.

ВАМ СЛОВО !

Allez visiter le site d'une école russe sur Internet. Vous trouverez sans doute des pages sur les activités qu'ont les élèves russes en dehors des cours obligatoires. Racontez et comparez avec votre établissement.

» НА УЛИЦЕ

Сейча́с ма́сленица. Францу́зские тури́сты хо́дят по ста́рой дере́вне Бело́во, смо́трят. Ми́тя, сын Фе́доры Епифа́новны, говори́т им, что ма́сленица, – э́то ста́рый ру́сский пра́здник.

Де́вушка: Чай горя́чий и блины́, кто не ви́дит – посмотри́!

Жак: Что э́то тако́е?

Ми́тя: Э́то блины́, а э́то чай. Жак, хо́чешь?

Ми́тя покупа́ет ча́шку ча́я и даёт её своему́ францу́зскому дру́гу.

Жак: Смотри́те! Кто э́то идёт?

Ми́тя: Э́то медве́дь, цыга́нка и солда́т.

Жак: И что они́ де́лают?

Ми́тя: Они́ хо́дят по дере́вне, как и мы сейча́с.

Стефани́: Э́то как карнава́л. Ой, са́нки! Я то́же хочу́ ката́ться на са́нках.

» **Ми́тя:** Вы зна́ете, ребя́та, сейча́с мы идём к мое́й ма́ме. Она́ гото́вит блины́ для вас. И ваш друг Макси́м уже́ у неё.

Они́ иду́т к ней.

У ФЕДОРЫ ЕПИФА́НОВНЫ

Жак: Фе́дора Епифа́новна, мне так нра́вятся ва́ши блины́… Да́йте мне, пожа́луйста, ещё оди́н.

Стефани́: Да, блины́ у вас таки́е вку́сные…

Ми́тя: Ма́ма о́чень вку́сно гото́вит…

Фе́дора Епифа́новна: Спаси́бо, ми́ленькие.*

*Ми́ленький: mon petit.

БАНК СЛОВ

- Адрес, у́лица (ул.), проспе́кт (пр.), пло́щадь (f., пл.), дом (д.), кварти́ра (кв.)
- Ката́ться на конька́х, на лы́жах, на са́нках.
- **Что?** ле́то, о́сень, зима́, весна́.
- **Когда́?** ле́том, о́сенью, зимо́й, весно́й.

ПРА́КТИКА

1 Слу́шайте и продолжа́йте.

Образец:　а) Ве́ра Бори́совна пи́шет Макси́му.　→　б) Она́ пи́шет своему́ бра́ту.

1. Вале́ра пи́шет На́сте. **2.** Ли́да пи́шет Макси́му. **3.** Серге́й Влади́мирович пи́шет Вале́ре. **4.** Ники́та Никола́евич пи́шет Да́йме. **5.** На́стя пи́шет Ане. **6.** Ни́на Куку́шкина пи́шет Игорю Кузмину́.

2 Заря́дка.

1. Что вы ви́дите? А　Кого́ вы ви́дите? Б　　**3.** Что они́ даю́т? Кому́? В → Б
2. Где они́? Б → А　　　　　　　　　　　　**4.** О чём они́ говоря́т? Б и В → А

А.　социологи́ческий факульте́т　　моско́вский теа́тр　　большо́й самолёт　　но́вый магази́н

Б.　молода́я студе́нтка　　молодо́й актёр　　ма́ленький ма́льчик　　ма́ленькая де́вочка

В.

3 Расскажи́те о себе́.

Образец:　У вас есть хоро́ший друг и́ли хоро́шая подру́га?

Как его́ (её) зову́т?

Вы ча́сто хо́дите к нему́ (к ней)?

Когда́?

Что вы де́лаете, когда́ вы у него́ (неё) до́ма?

Кака́я му́зыка вам (ему́/ей) нра́вится?

Каки́е фи́льмы вам (ему́/ей) нра́вятся (коме́дии, детекти́вы, три́ллеры, документа́льные фи́льмы…)?

Каки́е актёры вам (ему́/ей) нра́вятся?

Discutez avec votre camarade de ce qui vous plaît dans la ville (le village) que vous habitez: rues, magasins, parcs, musées, cinémas…

урок 13

происходить (1)	se passer	гру́ппа	groupe
писа́ть (пишу́,		ве́чер	soir, soirée
пи́шешь, пи́шут)	écrire	прогу́лка	promenade
дава́ть		фестива́ль (m.)	festival
(даю́, даёшь, даю́т)	donner	письмо́	lettre
гото́вить (1)	préparer	францу́з	un Français
нра́виться (1)	plaire	ма́сленица	mardi gras
		пра́здник	fête
де́йствие	action	блин	crêpe
экску́рсия	excursion	ча́шка	tasse
ме́сяц	mois	медве́дь (m.)	ours
янва́рь (m.)	janvier	цыга́нка	tsigane
февра́ль (m.)	février	солда́т	soldat
март	mars	карнава́л	carnaval
апре́ль (m.)	avril	са́нки (pl.)	luge
май	mai	ребя́та (pl.)	les enfants, les amis
ию́нь (m.)	juin	а́дрес	adresse
ию́ль (m.)	juillet	пло́щадь (f.)	place
а́вгуст	août		
сентя́брь (m.)	septembre	лы́жный	de ski, à skis
октя́брь (m.)	octobre	класси́ческий	classique
ноя́брь (m.)	novembre	спорти́вный	sportif
дека́брь (m.)	décembre	футбо́льный	de football
ле́то	été	горя́чий	chaud
о́сень (f.)	automne	тако́й	tel (tellement)
зима́	hiver	вку́сный	bon (au goût)
весна́	printemps		
програ́мма	programme	то́лько	seulement
ко́нкурс	concours	не то́лько…,	non seulement,
матч	match	но и…	mais encore…
экза́мен	examen		
кани́кулы	vacances scolaires	к (+D)	chez (vers)
		по (+D)	dans, sur

Пра́здничные дни в Росси́и.

Comparez ces fêtes russes avec les fêtes françaises.

- **1 и 2 января́:** Но́вый год
- **7 января́:** Рождество́ Христо́во
- **23 февраля́:** День защи́тника Оте́чества
- **8 ма́рта:** Междунаро́дный же́нский день
- **Па́сха**
- **1-2 ма́я:** Пра́здник весны́ и труда́
- **9 ма́я:** День Побе́ды
- **12 ию́ня:** День Росси́и (день приня́тия Деклара́ции о госуда́рственном суверените́те Росси́йской Федера́ции)
- **12 декабря́:** День Конститу́ции Росси́йской Федера́ции

СТРАНА И ЛЮДИ
Maslenitsa

◆ Cette fête très populaire, à la fin de laquelle on brûle le mannequin Ма́сленица, célèbre le réveil de la nature, selon des rites païens.

Depuis la fin de la période soviétique, on assiste à un renouveau des anciennes traditions: défilés, crêpes, courses en luge, jeux, luttes...

Вопро́сы:
– Как вы ду́маете, в како́м го́роде происхо́дят сце́ны, кото́рые вы ви́дите на фотогра́фиях?
– На трёх фотогра́фиях вы ви́дите Ма́сленицу. На каки́х?

93

Урок 14 A
НА АВТОБУСЕ ПО ПЕТЕРБУРГУ

Нева

Университет

Михайловский сад

Русский Музей

Филармони

гостиница Астория

Невский проспект

метро Достоевская

площадь Труда

ул. Садовая

школа

Сенная площадь

Театральная площадь

ресторан

Мариинский театр

Московский проспект

Сего́дня	Обы́чно
Сейча́с...	Регуля́рно
	Ча́сто
	Ка́ждый день...
ИДТИ	ХОДИТЬ
ЕХАТЬ	ЕЗДИТЬ

СЕГОДНЯ ХОЛОДНО

Вот ученики́ шко́лы № 24. У них экску́рсия в Ру́сский музе́й. Обы́чно они́ е́здят в музе́й на авто́бусе, а сего́дня они́ иду́т на экску́рсию пешко́м.

Фе́дя: Сего́дня хо́лодно. Почему́ мы не е́дем туда́ на авто́бусе?

Ли́дия Никола́евна: Потому́ что у нас сего́дня нет авто́буса.

Кири́лл: Но, Ли́дия Никола́евна, нам хо́лодно, пого́да плоха́я и музе́й далеко́.

Ли́дия Никола́евна: Кирю́ша, ско́лько тебе́ лет?

Кири́лл: Мне двена́дцать лет, Ли́дия Никола́евна.

Ли́дия Никола́евна: Вот и прекра́сно, ты уже́ большо́й, и мо́жешь оди́н киломе́тр идти́ пешко́м.

В МУЗЕЕ

Все: Ой! Как здесь хорошо́! Как тепло́!

Ру́сский музе́й зимо́й.

ПРАКТИКА

1 Слу́шайте и продолжа́йте.

Образе́ц: **а)** На́стя живёт недалеко́ от шко́лы. → **б)** Она́ хо́дит в шко́лу пешко́м.

а) Де́душка живёт далеко́ от по́чты. → **б)** Он е́здит на по́чту на авто́бусе / на метро́…

1. На́стя и Аня живу́т недалеко́ от шко́лы. **2.** На́дя живёт недалеко́ от университе́та. **3.** Серге́й Влади́мирович живёт далеко́ от свое́й рабо́ты. **4.** Ве́ра Бори́совна живёт недалеко́ от гости́ницы «Костро́ма». **5.** Федо́ра Епифа́новна живёт недалеко́ от магази́на. **6.** Ми́тя живёт далеко́ от дере́вни.

2 Смотри́те и продолжа́йте.

Образе́ц: **а)** Как вы ду́маете, ско́лько э́тому челове́ку лет?

→ **б)** Я ду́маю, что ему́ семна́дцать лет.

3 Говори́те.

Les élèves de l'école N° 12 ont aujourd'hui une sortie au Musée Pouchkine (Музе́й Пу́шкина). *Il fait très chaud* (жа́рко) *et ils n'ont pas envie de s'y rendre en car comme prévu; ils préfèreraient y aller à pied. Vous les ferez dialoguer avec leur professeur comme le font les élèves de l'école N° 24.*

Choisissez le personnage de Reportage 1 *que vous préférez et présentez-le de la façon la plus complète possible. Vous pouvez aussi, si vous le souhaitez, inventer des détails supplémentaires.*

урок 14B
КИРИЛЛ БОЛЕН

» **Кири́лл:** Па́па, па́па…

Па́вел Фёдорович: Кири́лл, я рабо́таю…

Кири́лл: Па́па, мне пло́хо.

Па́вел Фёдорович: Как э́то тебе́ пло́хо?

Кири́лл: Мне хо́лодно. Ничего́ не могу́ де́лать.

Па́вел Фёдорович: Ну тогда́ тебе́ на́до полежа́ть.

Кири́лл: Па́па, а телеви́зор смотре́ть мо́жно?

Па́вел Фёдорович: Нет, нельзя́. Когда́ челове́ку пло́хо, он лежи́т и отдыха́ет.

Кири́лл: Па́па, позвони́ ма́ме на рабо́ту.

» Ма́ма Кири́лла – врач, она́ рабо́тает в поликли́нике. Па́вел Фёдорович звони́т свое́й жене́.

Па́вел Фёдорович: Кири́ллу пло́хо. Ему́ хо́лодно и он не мо́жет чита́ть.

Гали́на Влади́мировна: Что у него́ боли́т?

Па́вел Фёдорович: Голова́.

Кири́лл: И ру́ки, и но́ги боля́т.

Па́вел Фёдорович: Слы́шишь? Он говори́т, что всё боли́т.

Гали́на Влади́мировна: А, так-так, понима́ю. У него́ наве́рно грипп. Ему́ на́до лежа́ть. А температу́ра есть?

Па́вел Фёдорович: Не зна́ю.

Гали́на Влади́мировна: Хоро́ший же ты оте́ц!

Кто бо́лен? Кири́лл.
Кому́ пло́хо? Кири́ллу.
У кого́ боли́т голова́? У Кири́лла.

● автобус   ● трамвай   ● троллейбус

- ● Метро́, самолёт, по́езд, маши́на, такси́, велосипе́д, мотоци́кл.
- ● Хо́лодно, тепло́, жа́рко.
- ● Он бо́лен, она́ больна́, они́ больны́. / У него́ боли́т голова́, у неё боля́т но́ги.
- ● На́до, мо́жно, нельзя́.
- ● Голова́, рука́, нога́, го́рло, зу́бы.

ПРАКТИКА

1 Слу́шайте и продолжа́йте.

Образец: **а)** Мо́жно кури́ть в авто́бусе?   →   **б)** Нет, нельзя́.

1. Мо́жно кури́ть на по́чте? **2.** Мо́жно писа́ть на уро́ке матема́тики? **3.** Мо́жно купа́ться в Се́не? **4.** Мо́жно стоя́ть на голове́ на уро́ке физкульту́ры? **5.** Мо́жно ката́ться на велосипе́де в дере́вне? **6.** Мо́жно лежа́ть в кабине́те дире́ктора шко́лы? **7.** Мо́жно чита́ть в по́езде? **8.** Мо́жно слу́шать ра́дио до́ма? **9.** Мо́жно за́втракать на балко́не? **10.** Мо́жно игра́ть на гита́ре в теа́тре?

2 Слуша́йте и продолжа́йте.

Образец: **а)** Ве́ра Бори́совна хо́чет игра́ть в те́ннис.

   →   **б)** Ей на́до идти́ на те́ннисный корт.

1. У Кири́лла грипп. **2.** На́стя не зна́ет уро́к исто́рии. **3.** И́горь Кузьми́н о́чень уста́л. **4.** Ни́на Куку́шкина хо́чет францу́зские духи́. **5.** В авто́бусе Ве́ра Бори́совна говори́т по-ру́сски о́чень бы́стро. **6.** На́стя и А́ня хотя́т игра́ть в футбо́л.

3 Рабо́та в па́рах.

Vous gardez votre petit frère Alexis qui ne se sent pas bien. Votre mère travaille, vous la prévenez par téléphone.

Vous lui dites qu'Alexis n'est pas bien.

Vous répondez qu'il a mal à la gorge.

Vous répondez qu'il est allongé sur le canapé,
qu'il ne joue pas et qu'il ne parle pas.

Vous répondez que vous ne savez pas
mais qu'il en a sans doute.

Elle vous demande où il a mal.

Elle vous demande où il est et ce qu'il fait.

Elle vous demande s'il a de la fièvre.

Elle vous dit de lui donner de l'aspirine (аспири́н) ;
elle vous précise qu'elle arrive (Я сейча́с приду́).

Souhaitez-vous plus tard vivre à la campagne ou à la ville ? Dites pourquoi.

Я хочу́ жить в дере́вне, потому́ что мо́жно ката́ться на велосипе́де, купа́ться в реке́…

НОВЫЕ СЛОВА

е́хать (dét. е́ду, е́дешь, е́дут)	aller (en véhicule)	врач	médecin
е́здить (indét., 1)	aller (en véhicule)	грипп	grippe
боле́ть (1)	faire mal (partie du corps)	температу́ра	température, fièvre
		голова́	tête
звони́ть (1)	téléphoner, sonner	го́рло	gorge
		зуб	dent
		оте́ц	père
филармо́ния	salle de concert		
цирк	cirque	всё	tout
о́пера	opéra		
бале́т	ballet	бо́лен	malade
велосипе́д	bicyclette		
тролле́йбус	trolleybus	хо́лодно	il fait froid
такси́	taxi	тепло́	il fait chaud
трамва́й	tramway	жа́рко	il fait très chaud
по́езд	train	обы́чно	d'habitude
мотоци́кл	moto	пешко́м	à pied
пого́да	temps (qu'il fait)	на́до	il faut, on doit
год	an, année	нельзя́	il ne faut pas, on ne doit pas
киломе́тр	kilomètre		
поликли́ника	dispensaire, clinique	мо́жно	on peut, il est possible

---

ПЕРЕМЕНКА **Писа́тели и поэ́ты Петербу́рга.**

Ces quatre écrivains sont liés à la « Capitale du Nord ».

1 **Découvrez l'auteur de chacune de ces œuvres : « Ве́чер », « Говори́т Ленингра́д », « Петербу́рг », « Бе́лые но́чи ».**

2 **Quel est celui qui est né et mort à Moscou ? Un indice peut vous aider à le trouver.**

Фёдор Достое́вский
(1821-1881)
Его́ геро́й чита́ет
но́чью «без лампа́ды».
Его́ по́весть[1]
называ́ется[2]…

Анна Ахма́това
(1889-1966)
Сбо́рник стихо́в[4]
поэте́ссы называ́ется
ни «Утро»,
ни «День», а…

Андре́й Бе́лый
(1880-1934)
Его́ рома́н но́сит[3]
пе́рвое и́мя го́рода.
Его́ рома́н
называ́ется…

Ольга Берго́льц
(1910-1975)
В э́той кни́ге она́ пи́шет
о свое́й рабо́те на
ра́дио во вре́мя войны́.
Её кни́га называ́ется…

1. По́весть (f.): nouvelle.
2. Называ́ться: s'appeler.
3. Носи́ть: porter.
4. Сбо́рник стихо́в: recueil de poèmes.

СТРАНА И ЛЮДИ

Saint-Pétersbourg
(Санкт-Петербург)

Люблю́ тебя́, Петра́ творе́нье,
Люблю́ твой стро́йный, стро́гий вид,
Невы́ держа́вное тече́нье,
Берегово́й её грани́т,
Твои́х огра́д узо́р чугу́нный,
Твои́х заду́мчивых ноче́й
Прозра́чный су́мрак, блеск безлу́нный,
Когда́ я в ко́мнате мое́й
Пишу́, чита́ю без лампа́ды,
И я́сны спя́щие грома́ды
Пусты́нных у́лиц, и светла́
Адмиралте́йская игла́,
И, не пуска́я тьму ночну́ю
На золоты́е небеса́,
Одна́ заря́ смени́ть другу́ю
Спеши́т, дав но́чи полчаса́.

А. С. Пу́шкин,
«Ме́дный вса́дник»,
Петербу́ргская по́весть, 1833.

Je t'aime, chef-d'œuvre de Pierre ;
J'aime cette grâce sévère,
Le cours puissant de la Néva,
Le granit qui borde sa rive,
Près des canaux les entrelacs
Des grilles, et les nuits pensives,
Leur ombre claire, leur éclat.
Voilà ! Chez moi, point de bougies.
Je lis, j'écris à la clarté
Qui baigne les rues endormies.
L'aiguille de l'Amirauté
Brille au loin. Sur le ciel que dore
Un éternel rayon, l'aurore
Se hâte d'aller relever
Le crépuscule inachevé
Et la nuit dure une heure à peine.

A. S. Pouchkine, « Le Cavalier de bronze »,
Récit pétersbourgeois, trad. J.-L. Backès, 1833.

Quels éléments du poème de Pouchkine pouvez-vous retrouver dans les photographies ci-contre ?

Урок 15 А
В ЛЕСУ

ГДЕ ТЫ БЫЛА ВЧЕРА?

На́стя, Рома́н и Ната́ша разгова́ривают.

На́стя: Где ты была́ вчера́?
Ната́ша: Я была́ до́ма. А ты?
На́стя: Мы бы́ли в лесу́!
Рома́н: И что вы там де́лали?
На́стя: Мы гуля́ли, игра́ли…
А ты что де́лал?
Рома́н: Я был до́ма: де́лал уро́ки, писа́л, смотре́л фильм по телеви́зору…

ПРАКТИКА

1 Смотри́те и отвеча́йте.
Где они́ бы́ли на кани́кулах?
Что они́ де́лали?

2 Слу́шайте и отвеча́йте.
Образе́ц: **а)** Вы уже́ бы́ли в Росси́и? → **б)** Да, в Росси́и я уже́ был(а́).
Нет, в Росси́и я не́ был / не была́.

Вы уже́ бы́ли в Росси́и? В Англии? В Испа́нии? В Ита́лии? В Герма́нии? В Бе́льгии? В США?
В Индии? В Япо́нии?

3 Рабо́та в па́рах.

Vous demandez à votre camarade :	*Il vous répond :*
où il était hier matin	qu'il était dans la forêt
ce qu'il a fait	qu'il s'est promené et reposé au bord du lac
où il était l'après-midi	qu'il était à la maison
ce qu'il a fait	qu'il a appris ses leçons
où il était le soir	qu'il était au cinéma, où il a vu un film intéressant.

Demandez à votre camarade dans quel pays il a déjà été, où il habitait (в гости́нице, в семье́, у дру́га…)*, ce qu'il a fait* (учи́л язы́к…)*. S'il n'est pas allé à l'étranger, demandez-lui où il était en vacances cet été* (э́тим ле́том).

А КАК ЖИЛИ РАНЬШЕ В ДЕРЕВНЕ?

» Недалеко́ от Костромы́ есть о́чень интере́сный музе́й. Это музе́й-дере́вня. Здесь мо́жно ви́деть це́рковь, и́збы, ба́ни…

Вчера́ там бы́ли англи́йские студе́нты. Они́ смотре́ли музе́й с Ве́рой Бори́совной и Макси́мом. А ещё там бы́ли ру́сские ученики́ со свои́м преподава́телем исто́рии.

Ве́ра Бори́совна пока́зывала и расска́зывала им, как ра́ньше лю́ди жи́ли в дере́вне.

» **Ве́ра Бори́совна:** В э́той ко́мнате жила́ вся семья́: роди́тели и де́ти, ба́бушка и де́душка.

Студе́нтка: Они́ жи́ли все вме́сте?

Ве́ра Бори́совна: Да. А вот ру́сская пе́чка.

Студе́нтка: Ой, кака́я больша́я! Смотри́те – там де́ти!

Ве́ра Бори́совна: Да, ма́ленькие де́ти люби́ли лежа́ть на пе́чке. Зимо́й они́ там спа́ли с ба́бушкой и́ли с де́душкой. Ве́чером ба́бушка расска́зывала им ска́зки… На пе́чке тепло́!

Учени́к: И под пе́чкой тепло́: вон там ко́шка лежи́т…

» **Ве́ра Бори́совна:** Да-да… А днём, когда́ роди́тели рабо́тали, де́ти игра́ли о́коло избы́.

Рома́н: А в шко́лу они́ не ходи́ли?

Андре́й Петро́вич: Ходи́ли то́лько зимо́й, а ле́том они́ рабо́тали.

Студе́нтка: А что е́ли лю́ди?

Ве́ра Бори́совна: Они́ е́ли суп с чёрным хле́бом, ка́шу с молоко́м… Пи́ли чай: вот их самова́р.

Студе́нтка: А мы вчера́ е́ли мя́со с гре́чневой ка́шей. Это о́чень вку́сно!

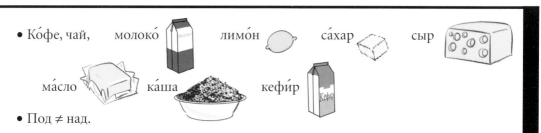

- Ко́фе, чай, молоко́ лимо́н са́хар сыр

  ма́сло ка́ша кефи́р

- Под ≠ над.

- Смотре́ть фильм по телеви́зору, говори́ть по телефо́ну.
- Семья́: ба́бушка, де́душка, оте́ц, мать, муж, жена́, сын, до́чка, брат, сестра́, тётя, дя́дя, роди́тели, де́ти.

ПРАКТИКА

1 **Заря́дка.**

Образе́ц: **а) 1.** Кому́ он / она́ звони́т? А → Б, Б → А

2. С кем он / она́ разгова́ривает? А → Б, Б → А

2 **Чита́йте и продолжа́йте.**

1. Мя́со мо́жно есть с … . **2.** Ры́бу мо́жно есть с … . **3.** Соси́ски мо́жно есть с … . **4.** Суп мо́жно есть с … . **5.** Блины́ мо́жно есть с … . **6.** Хлеб мо́жно есть с … .

3 **Чита́йте и продолжа́йте.**

1. Чай мо́жно пить с … . **2.** Ко́фе … . **3.** Молоко́ … . **4.** Ко́лу … . **5.** Кефи́р … .

4 **Чита́йте и продолжа́йте.**

Татья́на, подру́га Ве́ры Бори́совны,
ра́ньше жила́ в Москве́.

Тепе́рь она́ живёт в Пари́же.

Ка́ждую неде́лю она́ ходи́ла в ба́ню.

Тепе́рь она́ хо́дит в спорти́вный клуб.

Она́ е́здила на рабо́ту на тролле́йбусе.

Тепе́рь…

Ле́том она́ отдыха́ла в Крыму́.

Тепе́рь…

Зимо́й она́ ката́лась на конька́х
в па́рке Го́рького.

Тепе́рь…

На за́втрак она́ е́ла… и пила́…
На обе́д она́ е́ла…

Тепе́рь…
Тепе́рь…

Расскажи́те, что вы де́лали в суббо́ту-воскресе́нье (где вы бы́ли, с кем…)

урок 15

НОВЫЕ СЛОВА

есть		роди́тели	parents
(ем, ешь, ест,		мать (f.)	mère
еди́м, еди́те, едя́т)	manger	пе́чка (dim. de печь, f.)	poêle
пить		ска́зка	conte
(пью, пьёшь, пьют)	boire	ко́шка	chat
разгова́ривать (2)	bavarder	самова́р	samovar
быть (passé: был,		ка́ша	céréales cuites
была́, бы́ло, бы́ли)	être	молоко́	lait
спать (1)	dormir	са́хар	sucre
пока́зывать (2)	montrer	кефи́р	kéfir (lait fermenté)
расска́зывать (2)	raconter		
		гре́чневый	de sarrazin
лес	forêt		
бе́рег	bord, rive	вчера́	hier
хлеб	pain	ра́ньше	autrefois, auparavant
колбаса́	saucisson	вме́сте	ensemble
соси́ска	saucisse	вон (langue parlée)	là-bas
сыр	fromage		
ма́сло	beurre	с (+I)	avec
изба́	isba	под (+I)	sous
ба́ня	bain russe	над (+I)	au-dessus

ПЕРЕМЕНКА

Моро́зко

Aidez-vous des illustrations pour replacer les phrases dans l'ordre correspondant à l'histoire du conte russe « Morozko »…

а) Стару́ха о́чень люби́ла свою́ до́чку, никако́й рабо́ты ей не дава́ла. Её до́чка люби́ла лежа́ть в посте́ли.

б) А дочь старика́ рабо́тала с утра́ до ве́чера. Её все люби́ли.

в) И соба́ка Жу́чка то́же е́ла блины́…

г) Жи́ли-бы́ли стари́к да стару́ха. У старика́ была́ своя́ дочь, а у стару́хи то́же была́ своя́.

д) Она́ весь день гуля́ла по дере́вне. Там о ней то́лько и говори́ли: «Вот она́, безде́льница!»

е) Когда́ дочь старика́ рабо́тала, ма́чеха с до́чкой чай пи́ли с мёдом, блины́ е́ли со смета́ной…

СТРАНА И ЛЮДИ

La campagne russe

(Деревня вчера и сегодня)

◆ Un quart de la population russe est encore rurale. Les citadins gardent des liens forts avec la campagne (où souvent ils sont nés et où ils ont des parents), et la nature en général.

Кака́я фотогра́фия сня́та в музе́е?
Что вы ви́дите на фотогра́фиях?

NB. Fouetter avec des branches de bouleau : хлеста́ть (хлещу́, хле́щешь, хле́щут) ве́ником.
Icône : ико́на.

3

4

1

2

5

105

Урок 16 А
ТУРИСТЫ ФОТОГРАФИРУЮТ ГОРОД НА НЕВЕ

ДИМА НИКОГДА НЕ ЕЗДИЛ НА СТАДИОН

Сегодня товарищи едут на хоккей. Сейчас они ждут Диму, а его нет и нет.

Кири́лл: Почему́ его́ нет? Что он де́лает? Уже́ по́здно.
Бори́с: Да, и он не зна́ет, как е́хать на стадио́н.
Кири́лл: Слу́шайте, он наве́рно с Анто́ном.
Фе́дя: Пра́вильно, он с ним. Анто́н о́чень лю́бит хокке́й и хо́дит на все ма́тчи.

ПРАКТИКА

1 Слу́шайте и продолжа́йте.

Образе́ц: **а)** Куда́ вчера́ ходи́ли Ни́на и И́горь? → **б)** Вчера́ они́ ходи́ли в музе́й.

1.  Куда́ вчера́ ходи́л Кири́лл? 2. Куда́ вчера́ ходи́ла На́стя?

3.  Куда́ вчера́ ходи́ли Макси́м и Ли́да? 4. Куда́ вчера́ ходи́ла На́дя?

2 Слу́шайте и отвеча́йте.

Образе́ц: **а)** Вы уже́ бы́ли в Ита́лии? → **б)** Да, я уже́ е́здил(а) туда́.
Нет, я никогда́ не е́здил(а) туда́.

1. Вы уже́ бы́ли в Росси́и? **2.** Вы уже́ бы́ли в Аме́рике? **3.** Вы уже́ бы́ли в Индии?
4. Вы уже́ бы́ли в Герма́нии? **5.** Вы уже́ бы́ли в Аргенти́не? **6.** Вы уже́ бы́ли в Болга́рии?
7. Вы уже́ бы́ли в Англии? **8.** Вы уже́ бы́ли в Австра́лии?

3 Рабо́та в па́рах.

Образе́ц: | Где Ди́ма ? | **Учени́к А:** Кого́ ждёт Кири́лл? **Учени́к Б:** Он ждёт Ди́му.

Где И́горь ? Почему́ нет Ли́ды ? Ма́ма, где па́па ? Где секрета́рша ? Что она́ де́лает ?

4 Говори́те.

Vous êtes trois à vous rendre à pied à un match de basket. Vous attendez Irina qui ne connaît pas le gymnase où se déroule la compétition… L'un d'entre vous pense tout à coup qu'elle y est sans doute allée avec Natacha. Imaginez le dialogue.

Demandez à vos camarades dans quels pays ils sont allés. Ils vous répondront en s'aidant de l'exercice 2.

урок 16В
ИМ ОЧЕНЬ ПОНРАВИЛСЯ МАТЧ

» Ребя́та смотре́ли матч, пи́ли ко́лу и уже́ не ду́мали о Ди́ме. Кома́нда Мая́к игра́ла хорошо́. Они́ ча́сто аплоди́ровали. Вдруг они́ услы́шали: «А вот и я.» Фе́дя поду́мал: «Неуже́ли э́то Ди́ма?» Он посмотре́л наза́д и уви́дел Ди́му.

Фе́дя: Где ты был?
Кири́лл: Что ты де́лал?
Ди́ма: Как что? Я вас ждал у метро́ «Парк побе́ды»*, чита́л.
Фе́дя: До́лго ждал?
Ди́ма: До́лго. Все газе́ты прочита́л.
Бори́с: А пото́м?
Ди́ма: Что пото́м?
Я же сказа́л: ждал у метро́!
Мужчи́на: Ти́хо!

*Парк побе́ды: parc de la Victoire.

» По́сле ма́тча ребя́та рассказа́ли Ди́ме, как и где они́ его́ жда́ли.

Фе́дя: Ты зна́ешь, мы тебя́ то́же жда́ли, но не у метро́, а в метро́.
Кири́лл: Пото́м я поду́мал, что ты с Анто́ном е́дешь.
Бори́с: Да, когда́ мы поду́мали, что ты с Анто́ном, мы пое́хали на стадио́н.

» А Ди́ма рассказа́л, где он был.

Ди́ма: Я стоя́л на у́лице, ждал. Пото́м я купи́л чи́псы и спроси́л у де́вушки, как е́хать сюда́. Она́ мне отве́тила: «Я то́же е́ду туда́.» И мы пое́хали вме́сте.
Окса́на: Ди́ма, Ди́ма!
Ди́ма: Вот она́.

И они́ все пошли́ в кафе́ с Окса́ной.

Imperfectif	Perfectif		Imperfectif	Perfectif
де́лать	сде́лать		нра́виться	понра́виться
говори́ть	сказа́ть		идти́	пойти́
расска́зывать	рассказа́ть		е́хать	пое́хать
пока́зывать	показа́ть		чита́ть	прочита́ть
отвеча́ть	отве́тить		учи́ть	вы́учить
спра́шивать	спроси́ть		ви́деть	уви́деть
покупа́ть	купи́ть		слы́шать	услы́шать
ду́мать	поду́мать		писа́ть	написа́ть
смотре́ть	посмотре́ть		рисова́ть	нарисова́ть

Банк слов

ПРАКТИКА

1 Чита́йте и продолжа́йте.

Образе́ц: **a)** Ребя́та смотре́ли матч, пи́ли ко́лу и… → **б)** Ребя́та смо́трят матч, пьют ко́лу и…

Ребя́та смотре́ли матч, пи́ли ко́лу и уже́ не ду́мали о Ди́ме. Кома́нда Мая́к сего́дня игра́ла хорошо́. Они́ ча́сто аплоди́ровали. Вдруг они́ услы́шали: «А вот и я.» Гри́ша поду́мал: «Неуже́ли э́то Ди́ма?» Он посмотре́л наза́д и уви́дел Ди́му.

2 Чита́йте и продолжа́йте.

Образе́ц: **a)** Ребя́та сидя́т в кафе́… → **б)** Ребя́та сиде́ли в кафе́…

Ребя́та сидя́т в кафе́, разгова́ривают, пьют чай и едя́т бутербро́ды. Окса́на расска́зывает о своём го́роде. Все её слу́шают. Вдруг они́ слы́шат: «Неуже́ли э́то Кири́лл?». Э́то говори́т Ни́на Куку́шкина. Она́ то́же сиди́т в э́том кафе́ с И́горем. Их теа́тр даёт пье́су Молье́ра в Петербу́рге.

3 Слу́шайте и отвеча́йте.

Образе́ц: **a)** Кто сказа́л: «А вот и я»? → **б)** Э́ту фра́зу сказа́л Ди́ма.

1. Кто сказа́л: «Я то́же е́ду туда́»? **2.** Кто сказа́л: «Пото́м я поду́мал, что ты с Анто́ном е́дешь»? **3.** Кто сказа́л: «Я стоя́л на у́лице, ждал»? **4.** Кто сказа́л: «Ты зна́ешь, мы тебя́ то́же жда́ли…»? **5.** Кто сказа́л: «Ти́хо»? **6.** Кто сказа́л: «Все газе́ты прочита́л»?

4 Рабо́та в па́рах.

Écoutez bien ces dialogues et imaginez-en d'autres du même type.

– Что ты де́лал вчера́?
– Я чита́л и учи́л уро́ки.

– Ты игра́ешь в баскетбо́л?
– Нет, не игра́ю. Ра́ньше
я ча́сто игра́л, а тепе́рь не могу́.

– И́горь, ты сде́лал упражне́ния?
– Сде́лал. Я могу́ пойти́ в кино́?

– Алло́! Мо́жно Тама́ру?
– Её нет до́ма. Она́ пошла́ в библиоте́ку.

Вам слово!

Vous voulez raconter ce que vous avez fait hier, mais votre ami vous interrompt sans cesse et finit vos phrases à votre place en imaginant des choses un peu inattendues.

Учени́к A: Вчера́ я шёл в магази́н…

Учени́к A: Вчера́ я разгова́ривал с А́ней…

Учени́к Б: И вдруг уви́дел премье́р-мини́стра…

Учени́к Б: И вдруг она́ спроси́ла: «Ты меня́ лю́бишь?»

НОВЫЕ СЛОВА

рисова́ть (Ipf, 2)	*dessiner*	написа́ть (Pf)	*écrire*
фотографи́ровать (Ipf, 2)	*photographier*	нарисова́ть (Pf, 2)	*dessiner*
ждать (Ipf, жду, ждёшь, ждут)	*attendre*	фломáстер	*feutre*
		мел	*craie*
аплоди́ровать (Ipf, 2)	*applaudir*	фотоаппара́т	*appareil photo*
услы́шать (Pf, 1)	*entendre*	хокке́й	*hockey*
поду́мать (Pf, 2)	*penser*	кома́нда	*équipe*
посмотре́ть (Pf, 1)	*regarder*	чи́псы (pl.)	*chips*
уви́деть (Pf, 1)	*voir*		
прочита́ть (Pf, 2)	*lire*	никогда́	*jamais*
сказа́ть (Pf)	*dire*	по́здно	*tard*
рассказа́ть (Pf)	*raconter*	вдруг	*soudain*
показа́ть (Pf)	*montrer*	назад	*en arrière*
пое́хать (Pf)	*aller (en véhicule)*	до́лго	*longtemps*
спроси́ть (Pf, 1)	*demander*		
отве́тить (Pf, 1)	*répondre*	по́сле (+G)	*après*
купи́ть (Pf, 1)	*acheter*	у (+G)	*près de*
пойти́ (Pf) (passé: пошёл, пошла́, пошли́)	*aller (à pied)*	неуже́ли	*est-ce que vraiment*
сде́лать (Pf, 2)	*faire*		
вы́учить (Pf, 1)	*apprendre*		

ПЕРЕМЕНКА

Voici la suite du conte Morozko. *Il manque 5 verbes (au passé perfectif). Vous n'aurez sans doute pas de mal à les trouver. Vous imaginerez ensuite la fin du conte et la raconterez en français.*

Давно́ стару́ха хоте́ла изба́виться[1] от до́чки старика́. И вот одна́жды, когда́ стари́к пое́хал на база́р, она́ посла́ла[2] её в лес. Пришла́ де́вушка в лес, и не зна́ет, куда́ идти́, что де́лать. Вдруг она́ …:
«Здра́вствуй, краса́вица!»
Смо́трит напра́во, никого́ нет.
Посмотре́ла нале́во, и … Моро́зко.
«Ну, что ты здесь де́лаешь?» – спроси́л Моро́зко. И … де́вушка всё, как бы́ло.
«А для меня́ ты мо́жешь сде́лать сне́жную шаль?» Рабо́тала де́вушка всю ночь.
Утром Моро́зко пришёл, … на рабо́ту.
«Ну как? Нра́вится ли тебе́ моя́ рабо́та?» – … де́вушка. Шаль ему́ о́чень понра́вилась. И за э́ту рабо́ту подари́л ей Моро́зко сунду́к пода́рков оди́н друго́го кра́ше.

1. Изба́виться от (Pf): *se débarrasser de.*
2. Посла́ть (Pf): *envoyer.*

СТРАНА И ЛЮДИ

Le sport
(Спорт в Росси́и)

◈ En Russie, les sports d'hiver sont tradition-nellement parmi les plus populaires et les plus pratiqués.

Trouvez, dans chacune des 4 listes ci-dessous, le nom d'un sport d'hiver.
Relevez ensuite, dans l'ensemble de ces listes, le nom de 2 sports individuels dans lesquels les Russes se distinguent lors des compétitions internationales.

1. Футбо́л; лёгкая атле́тика; те́ннис; бокс; хокке́й на льду.
2. Велоспо́рт; гольф; лы́жный спорт; ша́хматы; фо́рмула 1.
3. Фигу́рное ката́ние; англи́йский футбо́л; пла́вание; гандбо́л; спорти́вная гимна́стика.
4. Карате́; конькобе́жный спорт; пинг-по́нг; баскетбо́л; дзюдо́.

◈ Le hockey sur glace n'est pas le seul sport collectif populaire en Russie : le football, le volley-ball et le basket-ball, sont également très appréciés et sont pratiqués en salle pendant l'hiver.

Connaissez-vous des noms d'équipes de football russes ? Trouvez-en quatre dans les lignes qui suivent où les auteurs ont oublié de séparer les mots et de mettre des majuscules !
чемпионаткубокматчтренировказенитолимпиа дараундлокомотивсумодинамоигрокфиналспар такорганизатортренергимнастдопингатлетика

◈ Depuis la chute de l'Union Soviétique en 1991, de nouveaux sports sont de plus en plus pratiqués. C'est le cas du tennis dont certains champions ont acquis une renommée mondiale.

Derrière ces initiales se cachent deux champions de tennis russes, une femme et un homme. Qui sont-ils à votre avis ?
• М. Ш.   • М. С.

Marins jouant au hockey sur le lac Baïkal gelé.

Coupe des champions de football de la Communauté des États Indépendants, janvier 2003.

Anastasia Myskina et Éléna Dementieva, finale de Roland Garros, juin 2004.

grammaire

Урок 1

1. Il n'y a pas d'article en russe.

2. Le verbe être

Il n'est pas exprimé au présent.

→ Мэр там. Le maire est là-bas.

→ Это мэр. C'est le maire.

Dans une phrase de ce type, le mot это est un présentatif ou sujet apparent. Le sujet est le nom qui suit.

3. L'accent tonique du mot

Chaque mot a un accent tonique propre. La syllabe accentuée est plus appuyée et plus prolongée que les autres. Les Russes ne notent pas l'accent, mais il est conseillé aux élèves étrangers de le faire (sur les mots de plus d'une syllabe), pour être en mesure de se relire correctement.

4. La prononciation des voyelles

Dans les syllabes inaccentuées, la plupart des voyelles ne se prononcent pas aussi distinctement que sous l'accent. On parle de « réduction » des voyelles.

Par exemple о et а, dans une syllabe située après l'accent, se prononcent presque comme un *e* muet français, mais sans arrondissement des lèvres.

On entend donc le même son à la fin de это et de Тóма.

En transcription phonétique (transcription des sons), on note ce son ainsi : [ə].

5. L'intonation de la phrase

Phrase affirmative simple.

COURBE INTONATIVE :

Тóма там.

Phrase interrogative sans mot interrogatif.

COURBE INTONATIVE :

Тóма там?

6. La formation des patronymes

Un patronyme est formé sur un prénom masculin, auquel on ajoute un suffixe.

Le suffixe le plus fréquent est : -ович (masculin) / -овна (féminin).

→ Ивáнович (signification : fils d'Ivan)

→ Ивáновна (signification : fille d'Ivan)

Урок 2

1. Le genre des noms

En français, il existe 2 genres. La terminaison d'un nom ne permet pas d'en connaître le genre (masculin ou féminin).

> ➠ un téléphone, une table

En russe, il existe **3 genres** : le masculin, le féminin et le neutre. Dans la plupart des cas, la terminaison indique le genre :
– Les noms terminés par une consonne sont de genre masculin.

> ➠ стол

– Les noms terminés par -а sont de genre féminin,

> ➠ картина

sauf ceux qui désignent des personnes de sexe masculin, qui sont de genre masculin.

> ➠ папа
> ➠ Дима (diminutif du prénom Дмитрий)

– Les noms terminés en -о sont de genre neutre.

> ➠ окно

2. Les pronoms personnels de 3e personne

Au singulier, ils sont au nombre de trois (un pour chaque genre).

> Masculin : он   Féminin : она́   Neutre : оно́

Au pluriel, il n'y a qu'une seule forme pour les trois genres : они́

3. Les conjonctions de coordination и et а

La conjonction и marque une simple liaison.

> ➠ Это стол и стул.

La conjonction а marque une différence, une opposition.

> ➠ Это стол, а э́то дива́н.

Dans le premier cas, les deux éléments sont groupés, dans le deuxième cas, ils sont dissociés, ce que souligne la virgule qui précède la conjonction de coordination а.

Remarque : la conjonction peut se trouver en début de phrase.

> ➠ Стол, стол… А э́то?

4. La prononciation des voyelles (suite)

Dans она́, вода́ et панно́, les о et les а se prononcent de la même manière. On note [ʌ] ce son, qui se prononce avec la bouche un peu plus fermée que pour [ə], sans participation des lèvres.

5. L'intonation de la phrase (suite)

Question avec un mot interrogatif.

> ➠ Кто э́то?   Что э́то?   Где они́?

Question commençant par la conjonction а.

> ➠ А каранда́ш?

Урок 3

1. Les pronoms personnels sujets

singulier			pluriel		
1ʳᵉ pers.	2ᵉ pers.	3ᵉ pers.	1ʳᵉ pers.	2ᵉ pers.	3ᵉ pers.
я	ты	он она́ оно́	мы	вы	они́

2. Les pronoms-adjectifs possessifs des 1ʳᵉ et 2ᵉ personnes du singulier

On les appelle ainsi car ils peuvent soit déterminer un nom (voir en français: *mon, ma*…), soit le remplacer (voir en français: *le mien*…).

Ils s'accordent en genre avec le nom qu'ils déterminent.

	masculin	féminin	neutre
1ʳᵉ pers.	мой	моя́	моё
2ᵉ pers.	твой	твоя́	твоё

3. Consonnes dures et consonnes molles

Après avoir écouté les exercices phonétiques N° 2 et 3 de la troisième partie de la leçon, vous avez constaté qu'à une consonne française correspondent deux consonnes russes.

Toute consonne russe est soit dure, soit molle (ou mouillée). La mouillure est produite par la langue qui se rapproche du palais. Le durcissement est produit par une rétraction de la langue.

Les consonnes françaises sont généralement produites dans une position médiane de la langue.

À l'écrit.

Quand une consonne est suivie d'une voyelle:

Ce n'est pas la graphie de la consonne qui indique si elle est dure ou molle, mais celle de la lettre-voyelle suivant la consonne.

Le russe a 5 voyelles (phonèmes vocaliques), que l'on note ainsi en transcription phonologique (transcription des phonèmes): /a/ /e/ /i/ /o/ /u/.

Elles sont représentées dans l'écriture par 10 lettres-voyelles (graphèmes vocaliques).

	/a/	/e/	/i/	/o/	/u/
1ʳᵉ série	а	э	ы	о	у
2ᵉ série	я	е	и	ё	ю

N.B. Le phonème /o/ après consonne s'écrit ё sous l'accent, e hors de l'accent.
Une consonne suivie d'une lettre-voyelle de la 1ʳᵉ série est dure; une consonne suivie d'une lettre-voyelle de la 2ᵉ série est molle.

Quand une consonne n'est pas suivie d'une voyelle en fin de mot:

Avant la réforme de l'orthographe de 1918,
– les consonnes dures étaient suivies d'un signe dur ъ,
– les consonnes molles étaient suivies d'un signe mou ь.

Pour alléger la typographie, on a décidé de supprimer tous les signes durs, de loin les plus fréquents, en fin de mot. Ainsi столъ est devenu стол. Par contre, on a conservé le signe mou (дверь).

Quand une consonne est suivie d'une autre consonne, le signe mou permet également d'en indiquer la mouillure.

       ▸ пальто́

N.B. Pour noter la mouillure en transcription phonétique et phonologique, on utilise le signe '.

       ▸ пять /p'at'/

4. Le genre des noms (suite)

Sont féminins, les noms terminés par /a/ (à l'écrit : -а et -я).

       ▸ ру́чка   ту́фля

Sont masculins les noms terminés par une consonne dure (consonne non suivie d'un signe mou).

       ▸ стол

Sont neutres les noms terminés par /o/ (à l'écrit : -о, -е et -ё).

       ▸ окно́   мо́ре

Les noms terminés par une consonne molle (consonne + signe mou) sont :

– soit masculins   ▸ портфе́ль

– soit féminins   ▸ две́рь

5. L'adjectif

La place de l'adjectif.

L'adjectif épithète se place dans la plupart des cas devant le nom auquel il se rapporte.

       ▸ Это ста́рое пальто́.

L'adjectif attribut, dans le cas d'un énoncé où le verbe *être* est sous-entendu, se place après le nom ou le pronom auquel il se rapporte.

       ▸ Телеви́зор но́вый.

Les terminaisons de l'adjectif au singulier :

– au masculin /oj/, notée ый en dehors de l'accent ;

       ▸ но́вый

– au féminin /aja/, notée ая ;

       ▸ но́вая

– au neutre /ojo/, notée ое.

       ▸ но́вое

Уро́к 4

1. Les pronoms-adjectifs possessifs des 1ʳᵉ et 2ᵉ personnes du pluriel

	masculin	féminin	neutre
1ʳᵉ pers. pl.	наш	на́ша	на́ше
2ᵉ pers. pl.	ваш	ва́ша	ва́ше

2. Consonnes dures et consonnes molles (suite)

▶ Quelques consonnes ne présentent pas une variante dure et une variante molle.
3 sont toujours dures : la sifflante ц et les chuintantes ж et ш.
2 sont toujours molles : les chuintantes ч et щ.

L'orthographe n'est pas toujours conforme à ces réalités, comme le montrent ces exemples :

	orthographe conforme	orthographe non conforme
ц	у́лица	интона́ция
ж	журна́л	стажёр
ш	на́ша	маши́на
ч	учени́ца	час
щ	о́вощи	щу́ка

▶ Les gutturales г, к et x sont dures devant /a/, /o/ et /u/. Elles sont molles devant /i/ et /e/.
L'orthographe est toujours conforme à la prononciation.

   кни́га кури́ть хорошо́ по-ру́сски

▶ Le yod est une consonne. Vous entendez ce son en français dans les mots *fille* ou *payer*. En russe, comme en français, il s'écrit de plusieurs manières.

voyelle + yod → **lettre-voyelle** + й	**yod + voyelle** → **lettre-voyelle de la 2ᵉ série**
à la fin d'un mot мой /moj/	à l'initiale d'un mot ёлка /jolka/
ou d'une syllabe сейча́с /s'ejčas/	ou d'une syllabe моя́ /moja/

3. Les verbes de 1ʳᵉ classe

Observez le présent des verbes говори́ть et стоя́ть.

		base	voyelle de liaison	terminaison		base	voyelle de liaison	terminaison
я	говорю́	/govor'	-ø-	u/	стою́	/stoj	-ø-	u/
ты	говори́шь	/govor'	-i-	š/	стои́шь	/stoj	-i-	š/
он	говори́т	/govor'	-i-	t/	стои́т	/stoj	-i-	t/
мы	говори́м	/govor'	-i-	m/	стои́м	/stoj	-i-	m/
вы	говори́те	/govor'	-i-	t'e/	стои́те	/stoj	-i-	t'e/
они́	говоря́т	/govor'	-ø-	at/	стоя́т	/stoj	-ø-	at/

Il est caractérisé par la présence de la voyelle de liaison /**i**/ à toutes les personnes sauf à la 1ʳᵉ personne du singulier et à la 3ᵉ personne du pluriel.

Les verbes dont la conjugaison est caractérisée par la présence de la voyelle /**i**/ aux 2ᵉ et 3ᵉ personnes du singulier et aux 1ʳᵉ et 2ᵉ personnes du pluriel appartiennent à la 1ʳᵉ classe des verbes. **C'est le présent qui détermine la classe**, alors qu'en français c'est l'infinitif.

On distingue 4 classes de verbes. Seules les 2 premières seront étudiées dans *Reportage 1*.
Quant à la 4ᵉ classe, elle ne comporte que des verbes irréguliers, dont la conjugaison sera donnée systématiquement.

Certains verbes présentent un accent mobile : l'accent, final à la 1ʳᵉ personne du singulier, recule sur la syllabe précédente à la 2ᵉ personne du singulier et y reste jusqu'à la 3ᵉ personne du pluriel.
  ▶▶ Кури́ть : я курю́, ты ку́ришь, они́ ку́рят.

Remarque : dans la forme говори́шь, le ь n'indique pas la mouillure du ш qui est toujours dur, il est la marque orthographique de la 2ᵉ personne du singulier.

Урок 5

1. La déclinaison

Observons ces deux phrases :

> **Стол** стои́т там.
> Кни́га лежи́т на **столе́**.

La terminaison du mot стол n'est pas la même. En russe, les noms, les pronoms et les adjectifs changent de forme selon leur fonction dans la proposition. Ils se **déclinent**.

La déclinaison est l'ensemble des formes que peut prendre un nom, un pronom ou un adjectif. Ces formes s'appellent des **cas**.

La déclinaison comporte 6 cas.
– Le **nominatif** (N) est le cas du sujet. Il est aussi utilisé pour l'attribut du sujet.

> ⮞ **Стол** стои́т там.
> ⮞ Ни́на – **актри́са**.

– Le **locatif** (L) ne s'emploie jamais sans préposition (dans la leçon 5, il est régi par les prépositions в et на).

> ⮞ Ру́чка на **столе́**.

La terminaison est appelée **désinence**.

⮞ base	désinence
ру́чк	а
стол	ø (Il n'y a pas de désinence. On parle de désinence zéro.)
стол	é

2. Les déclinaisons des noms

– Les noms féminins et masculins terminés en /a/ au nominatif singulier appartiennent à la première déclinaison.
– Les autres noms masculins et les noms neutres appartiennent à la deuxième déclinaison.
Pour chaque déclinaison, nous étudierons les noms à base dure et ceux à base molle.

3. Le nominatif singulier et le locatif singulier des noms

Le locatif singulier est en /e/ pour les noms des 1ʳᵉ et 2ᵉ déclinaisons.

	1ʳᵉ déclinaison		2ᵉ déclinaison			
			masculin		neutre	
	base dure	base molle	base dure	base molle	base dure	base molle
N	газе́т**а**	ту́фл**я**	журна́л	портфе́л**ь**	сло́в**о**	мо́р**е**
L	газе́т**е**	ту́фл**е**	журна́л**е**	портфе́л**е**	сло́в**е**	мо́р**е**

4. Le nominatif pluriel des noms

Il est en /i/ pour les noms masculins et féminins.

	1ʳᵉ déclinaison		2ᵉ déclinaison	
			masculin	
	base dure	base molle	base dure	base molle
N	газе́т**ы**	ту́фл**и**	журна́л**ы**	портфе́л**и**

À retenir.

PHONÉTIQUE		ORTHOGRAPHE
ч et щ sont toujours molles	donc	чи щи
к, г, х sont toujours molles devant /i/	donc	ки, ги, хи
ш et ж sont toujours dures	mais	ши жи

➠ кни́ги карандаши́

Attention ! L'accent tonique d'un mot peut changer au cours de la déclinaison.

➠ стол   →   L sing.   столе́

учени́к   →   N pl.   ученики́

река́   →   N pl.   ре́ки

5. Le nominatif pluriel des pronoms adjectifs-possessifs

Au pluriel, il n'y a qu'une seule forme pour tous les genres.

	singulier			pluriel
	masculin	féminin	neutre	
N	мой	моя́	моё	мои́
	твой	твоя́	твоё	твои́
	наш	на́ша	на́ше	на́ши
	ваш	ва́ша	ва́ше	ва́ши

6. Les verbes de 1ʳᵉ classe à alternance

Dans les verbes de 1ʳᵉ classe se produit souvent une **alternance de consonnes** : à la 1ʳᵉ personne du singulier, la dernière consonne de la base est remplacée par une autre.

➠ сиде́ть : ты сиди́шь, он сиди́т, mais… я сижу́.

7. L'assourdissement des consonnes sonores en fin de mot

En fin de mot, les consonnes sonores (prononcées avec vibration des cordes vocales) б, в, г, д, ж, з s'assourdissent : elles se prononcent comme les consonnes sourdes correspondantes (même articulation, mais prononcées sans vibration des cordes vocales).

En fin de mot, quand on écrit	б	в	г	д	ж	з
on prononce	п	ф	к	т	ш	с

8. La notation du yod

Consonne molle + yod + voyelle → ь + lettre-voyelle de la 2ᵉ série.

➠ конья́к

Счита́лочка
Кот ду́мает о нём.
О чём и́ли о ком.
О молочке́ своём.
Он так лю́бит своё молочко́.

Урок 6

1. Le génitif

C'est le cas du complément du nom.

⮞ Это сестра́ **Вале́ры**.

Вот жена́ **Серге́я Влади́мировича**.

2. Le génitif singulier des noms

Il est en /**i**/ pour les noms de 1re déclinaison et en /**a**/ pour ceux de la 2e.

	1re déclinaison		2e déclinaison			
			masculin		neutre	
	base dure	base molle	base dure	base molle	base dure	base molle
N	газе́т**а**	ту́фл**я**	журна́л	портфе́л**ь**	сло́в**о**	мо́р**е**
G	газе́т**ы**	ту́фл**и**	журна́л**а**	портфе́л**я**	сло́в**а**	мо́р**я**

3. Les possessifs de 3e personne

À la 1re et à la 2e personne, le possessif s'accorde avec le nom qu'il détermine.

⮞ мой брат   моя́ сестра́

À la 3e personne, on utilise les formes invariables suivantes :

его́   si le possesseur est masculin,

её   si le possesseur est féminin,

их   s'il y a plusieurs possesseurs.

⮞ Это **Вале́ра**, а э́то **его́** сестра́ На́стя.

Это **На́стя**, а э́то **её** ма́ма Ве́ра Бори́совна.

Это **Вале́ра и На́стя**, а э́то **их** ба́бушка.

4. Les verbes de 2e classe (type régulier)

Observez le présent du verbe де́лать.

		base	voyelle de liaison	terminaison
я	де́лаю	/d'elaj	-∅-	u/
ты	де́лаешь	/d'elaj	-o-	š/
он/она́	де́лает	/d'elaj	-o-	t/
мы	де́лаем	/d'elaj	-o-	m/
вы	де́лаете	/d'elaj	-o-	t'e/
они́	де́лают	/d'elaj	-∅-	ut/

Les verbes appartenant à la 2e classe ont une base du présent en yod, une voyelle de liaison /o/ notée -e- (en dehors de l'accent) ou -ë- (sous l'accent).

5. Les noms indéclinables

Un certain nombre de noms d'origine étrangère terminés en -о, -е, -у, -ю, -и sont indéclinables.
Ils ont une forme unique pour tous les cas au singulier comme au pluriel.

⮞ Пальто́, панно́, бюро́, метро́, досье́, рагу́, интервью́, такси́.

Les noms indéclinables désignant des objets sont de genre neutre.

6. La ponctuation

En russe l'emploi des signes de ponctuation est, dans certains cas, différent de celui du français.
– On met systématiquement une virgule devant les propositions subordonnées.

> ▸▸ Она́ говори́т, что музе́й там.
> ▸▸ Он не зна́ет, когда́ они́ обе́дают.

– On met un tiret qui matérialise le verbe être non exprimé au présent entre un nom sujet et un nom attribut du sujet.

> ▸▸ Кострома́ – го́род.

N.B. Quand l'attribut est précédé d'une négation, on ne met pas de tiret.

> ▸▸ Макси́м не учени́к.

– Quand le nom sujet est précédé d'un possessif, il n'y a généralement pas de tiret.

> ▸▸ Мой брат журнали́ст.

7. L'ordre des mots dans la phrase

– Observez les deux questions qui suivent :

> Когда́ он у́жинает?
> Когда́ у́жинает Вале́ра?

Le pronom personnel sujet se trouve placé devant le verbe comme dans une phrase déclarative ; en revanche, le nom sujet est le plus souvent placé après le verbe.

– Quand on répond à une question, le principe de l'ordre des mots dans une réponse est le suivant :

1 Éléments contenus dans la question.	**2** Élément(s) de réponse.
▸▸ Когда́ он рабо́тает?	Он рабо́тает у́тром и днём.
	1 **2**
▸▸ Как она́ говори́т?	Она́ говори́т бы́стро.
	1 **2**

Уро́к 7

1. Les verbes de 1ʳᵉ classe à alternance (suite)

Lorsque la dernière consonne de la base est une labiale (б, п, м, в, ф), un л apparaît après cette consonne à la première personne du singulier.

> ▸▸ люби́ть: ты лю́бишь mais я люблю́

2. L'accusatif

C'est le cas du complément d'objet direct.

> ▸▸ Он чита́ет газе́ту.

3. 1ʳᵉ déclinaison des noms : l'accusatif singulier

Il est en /u/.

	base dure	base molle
N	газе́т**а**	ту́фл**я**
A	газе́т**у**	ту́фл**ю**

4. L'accusatif des pronoms personnels

N	я	ты	он, оно́	она́	мы	вы	они́
A	меня́	тебя́	его́	её	нас	вас	их

5. L'accusatif des pronoms interrogatifs

N	кто	что
A	кого́	что

6. L'accusatif singulier de l'adjectif féminin en base dure

Comme les noms, les adjectifs ont soit une base dure, soit une base molle.
Remarque: les adjectifs utilisés dans ce livre sont tous en base dure.

N	но́вая
A	но́вую

7. L'accusatif singulier des pronoms-adjectifs possessifs féminins

N	моя́	на́ша
A	мою́	на́шу

8. Le nominatif pluriel des noms neutres

	base dure	base molle
N sing.	сло́во	мо́ре
N pl.	слова́	моря́

Attention à l'opposition d'accent entre le singulier et le pluriel pour les mots neutres de deux syllabes!

9. Les noms terminés par -мя

Ils sont neutres. Il en existe une dizaine.

    ▸ Моё **и́мя** Бори́с.

10. L'ordre des mots (suite)

En français, l'ordre des mots permet d'indiquer leur fonction. Dans la proposition «L'élève écoute le professeur.», c'est la place du groupe nominal «l'élève» qui indique qu'il est sujet. Si nous intervertissons les deux GN, «l'élève» deviendra COD.
En russe, ce sont les cas qui indiquent la fonction des mots. L'ordre des mots n'a donc généralement pas à remplir ce rôle. Ainsi, il y a une plus grande souplesse dans l'ordre des mots de la phrase russe. Pour la phrase déclarative simple, l'ordre prédominant est à peu près le même qu'en français: sujet, verbe, complément.

L'adverbe est placé avant le verbe. Mais on peut modifier cet ordre si l'on veut, par exemple:
– mettre en valeur un élément;

    ▸ Он хорошо́ рабо́тает. (ordre neutre)
      Она́ рабо́тает хорошо́. (mise en valeur de l'adverbe)

– reprendre un terme déjà connu.

    ▸ Это Ли́да и её сестра́. Ли́ду я ви́жу, а её сестру́ нет.

Урок 8

1. La préposition o/об

о devant phonème-consonne :

о дру́ге   о жене́

о Его́ре   о юмори́сте

об devant phonème-voyelle :

об авто́бусе   об у́лице

об инжене́ре

Contrairement aux autres voyelles de la 2ᵉ série, la voyelle и n'indique pas la présence d'un yod à l'initiale d'un mot.

2. 2ᵉ déclinaison des noms : l'accusatif singulier

À l'accusatif masculin singulier, on fait une distinction entre les noms désignant des **animés** (personnes et animaux) et les noms désignant des **inanimés**.

	masculin				neutre	
	inanimés		animés			
	base dure	base molle	base dure	base molle	base dure	base molle
N	журна́л	портфе́ль	актёр	учи́тель	сло́во	мо́ре
A	журна́л	портфе́ль	актёр**а**	учи́тел**я**	сло́во	мо́ре

3. Le locatif singulier des pronoms-adjectifs possessifs

	masculin	neutre	féminin
N	мой	моё	моя́
L	мо**ём**		мо**е́й**

	masculin	neutre	féminin
N	наш	на́ше	на́ша
L	на́ш**ем**		на́ш**ей**

4. Le locatif singulier de l'adjectif en base dure

	masculin	neutre	féminin
N	ста́р**ый**	ста́р**ое**	ста́р**ая**
L	ста́р**ом**		ста́р**ой**

5. La proposition circonstancielle de cause

Elle est introduite par la conjonction потому́ что. Elle répond à la question почему́.

➠ – Почему́ Да́йма ду́мает о Пари́же?

– Да́йма ду́мает о Пари́же, **потому́ что** её муж сейча́с там.

6. La construction des verbes

La construction d'un verbe russe n'est pas toujours la même que celle du verbe français correspondant. Comparez :

На́стя спра́шивает **Вале́ру**, где но́мер телефо́на Рома́на. (COD)

Nastia demande **à Valéra** où est le numéro de téléphone de Roman. (COI)

Урок 9

1. Le génitif singulier des pronoms interrogatifs

N	кто	что
G	кого́	чего́

2. Le génitif singulier des pronoms-adjectifs possessifs féminins

N	моя́	на́ша
G	мое́й	на́шей

3. Le génitif singulier de l'adjectif féminin en base dure

N	но́вая
G	но́вой

4. Les conjonctions а et но

Nous avons vu que la conjonction а marque une différence, une opposition entre deux termes.
La conjonction но marque une contradiction ou une restriction.

→ Я хорошо́ зна́ю Пари́ж, **а** он его́ пло́хо зна́ет.
   Je connais bien Paris, mais lui le connaît mal (tandis que lui…).

→ Он живёт в Пари́же, **но** он его́ пло́хо зна́ет.
   Il vit à Paris, mais il le connaît mal (mais cependant…).

→ Я люблю́ му́зыку, **но** я не люблю́ джаз.
   J'aime la musique, mais je n'aime pas le jazz.

5. La variante en -о des prépositions

Quand une préposition terminée par une consonne est suivie d'un mot commençant par un groupe de consonnes, on ajoute généralement un -о à cette préposition.

→ Он игра́ет **в** баскетбо́л.
→ **Во** что вы игра́ете?

Урок 10

1. Le complément de lieu

	Lieu où l'on est	Lieu où l'on va
Questions	где?	куда́?
Adverbes	тут (здесь)	сюда́
	там	туда́
	до́ма	домо́й
Cas suivant les prépositions	в/на + locatif	в/на + accusatif

2. Pronoms personnels : le génitif

N	я	ты	он, оно́	она́	мы	вы	они́
G	меня́	тебя́	его́	её	нас	вас	их

3. Le -н- préposé

Les pronoms personnels de 3ᵉ personne sont précédés d'un н- s'ils sont régis par une préposition.

⏵ Я сижу́ о́коло **него́**.

Mais :   ⏵ Я сижу́ о́коло **его́** сестры́. La préposition régit ici le nom.

4. Le génitif singulier des pronoms-adjectifs possessifs masculins et neutres

	masculin	neutre
N	мой	моё
G	мо**его́**	

5. Le génitif singulier masculin et neutre de l'adjectif en base dure

	masculin	neutre
N	ста́р**ый**	ста́р**ое**
G	ста́р**ого**	

6. Particularité orthographique

Dans les désinences, après chuintante (ж, ч, ш, щ), le phonème /o/ est écrit о sous l'accent, е en dehors de l'accent.

⏵ больш**о́е** окно́   хоро́ш**ее** мя́со
⏵ о́коло больш**о́го** до́ма   о́коло хоро́ш**его** ученика́

7. L'accusatif pluriel des noms désignant des inanimés

Il est semblable au nominatif.

⏵ Ни́на покупа́ет конфе́ты.
(Cf. Вот конфе́ты.)

Счита́лочка
Это ша́пка Ива́на.
Како́го?
Большо́го. Ты зна́ешь его́?
Кого́?
Ива́на.
Како́го?

Урок 11

1. L'adjectif какóй, какáя, какóе, какúе

Il peut être interrogatif ou exclamatif.

- ▸ Какóй язы́к ты у́чишь? Quelle langue apprends-tu ?
- ▸ Какóй интерéсный урóк! Quel cours intéressant !

2. L'intonation de la phrase exclamative introduite par какóй

- ▸ Какóе красúвое лúчико!

3. Les verbes de déplacement

Un certain nombre de verbes russes qui indiquent un déplacement se présentent sous la forme d'un couple dont l'un des verbes est appelé **déterminé** et l'autre **indéterminé**.

C'est le cas des verbes идтú (déterminé) et ходúть (indéterminé).

Les deux verbes signifient « aller », mais selon la manière dont le locuteur (celui qui parle) envisage l'action, selon ce sur quoi porte son intérêt, il peut employer l'un ou l'autre.

Le locuteur emploiera le **verbe déterminé** s'il fait référence à un déplacement en train de se faire (ou bien qui était ou sera en train de se faire), s'il visualise le sujet se rendant quelque part.

- ▸ Дéвочка идёт в магазúн.
  La petite fille va au magasin. (Elle est sur le chemin qui conduit au magasin.)

Le **verbe indéterminé**, lui, a une valeur de généralisation, de globalisation. C'est pourquoi il peut servir à indiquer :

– un déplacement répété ;

- ▸ Кáждый день он хóдит в бассéйн. Tous les jours il va à la piscine.

– l'occupation, l'activité ;

- ▸ Алёша хóдит в шкóлу. Aliocha va à l'école. (Il est écolier.)

– un déplacement caractéristique d'une fonction naturelle ou acquise, la capacité d'effectuer un déplacement.

- ▸ Дéвочка ужé хóдит. La petite fille marche déjà.

Remarque : la différence du point de vue adopté sur le déplacement dans « Дéвочка идёт » et « Дéвочка хóдит » est rendue en français par l'emploi de deux verbes différents, « va » et « marche ».

4. Les compléments de temps : la répétition

L'accusatif employé avec кáждый exprime la répétition.

- ▸ Кáждую недéлю я хожу́ в магазúн.
- ▸ Кáждую суббóту онá дéлает поку́пки.

5. Le pronom-adjectif démonstratif э́тот : nominatif, accusatif, génitif et locatif

Il désigne l'objet proche (celui-ci).

	singulier			pluriel
	masculin	neutre	féminin	
N	э́тот	э́то	э́та	э́ти
A		э́то	э́ту	
G	э́того		э́той	
L	э́том		э́той	

Remarque : le singulier est en base dure et le pluriel en base molle.

Урок 12

1. L'expression de la présence et de l'absence d'un objet ou d'une personne

– Dans un lieu (ou en général).

Forme affirmative : **есть** + nominatif
  ▸ В го́роде есть кинотеа́тр.

Forme négative : **нет** + génitif
  ▸ В дере́вне нет теа́тра.

– En la possession de quelqu'un : équivalent du verbe avoir.

Forme affirmative : **у** + génitif + **есть** + nominatif
  ▸ У Ве́ры Бори́совны есть сын.

Forme négative : **у** + génitif + **нет** + génitif
  ▸ У Макси́ма нет маши́ны.

2. Les verbes pronominaux

Ils se conjuguent comme les autres verbes. On ajoute simplement à la terminaison : -**ся** après consonne et -**сь** après voyelle.

> купа́ться :
> я купа́ю**сь**   мы купа́ем**ся**
> ты купа́ешь**ся**   вы купа́ете**сь**
> он купа́ет**ся**   они купа́ют**ся**

Remarque : les verbes pronominaux russes ne correspondent pas toujours aux verbes pronominaux français et réciproquement.

> учи́ться : faire des études, étudier
> отдыха́ть : se reposer

3. Équivalent du pronom indéfini *on*

À une proposition ayant pour sujet « on » peut correspondre en russe une proposition dont le verbe est à la 3ᵉ personne du pluriel sans sujet.

> Как живу́т в дере́вне? Comment vit-on à la campagne ?
> Говоря́т, что он учи́тель. On dit qu'il est professeur.

4. Le locatif singulier des pronoms personnels

N	я	ты	он, оно́	она́	мы	вы	они́
L	(обо) мне	тебе́	(о) нём	(о) ней	нас	вас	(о) них

5. Le pronom-adjectif possessif réfléchi свой

En français, une phrase du type « Jérôme prend son livre », sans contexte, est ambiguë : il peut s'agir du livre de Jérôme ou de celui de quelqu'un d'autre.

En russe, on emploie un possessif différent selon que l'« objet » (au sens large) possédé appartient au sujet de la proposition ou non : s'il appartient au sujet (si le possessif est réfléchi), on utilise свой. Свой se décline comme мой.

> Я люблю́ свой дом. J'aime ma maison.
> Ди́ма лю́бит свой дом.   / Ди́ма лю́бит его́ дом.
> Dima aime sa maison (celle de Dima). / Dima aime sa maison (celle d'Ivan).

Attention ! Свой renvoie au sujet. Il ne peut donc jamais déterminer un sujet.

> И Вале́ра и его́ сестра́ учи́лись в э́той шко́ле.

Le possessif réfléchi renvoie au sujet de la proposition dans laquelle il se trouve.

> Вале́ра ду́мает, что его́ сестра́ не лю́бит дискоте́ки.

Урок 13

1. Le datif

C'est le cas du **complément d'attribution**.

→ Я даю́ кни́гу дру́гу.

C'est, d'une façon générale, le cas que l'on emploie pour le destinataire d'une action.

C'est l'équivalent en français :
– d'un complément d'objet indirect ;

→ Он пи́шет бра́ту. Они отвеча́ют На́сте.

– d'un complément d'objet second.

→ Он пи́шет письмо́ бра́ту. Она купи́ла са́нки до́чке.

Le datif est **régi par certaines prépositions** : к, по.

2. 1ʳᵉ et 2ᵉ déclinaisons des noms : le datif singulier

	1ʳᵉ déclinaison		2ᵉ déclinaison			
			masculin		neutre	
	base dure	base molle	base dure	base molle	base dure	base molle
N	газе́та	неде́ля	журна́л	портфе́ль	сло́во	мо́ре
D	газе́те	неде́ле	журна́лу	портфе́лю	сло́ву	мо́рю

3. Le datif singulier des pronoms interrogatifs

N	кто	что
D	кому́	чему́

4. Le datif singulier des pronoms personnels

N	я	ты	он, оно́	она́	мы	вы	они́
D	мне	тебе́	ему́	ей	нам	вам	им

5. Le datif singulier des pronoms-adjectifs possessifs

	masculin	neutre	féminin
N	мой	моё	моя́
D	моему́		мое́й

	masculin	neutre	féminin
N	наш	на́ше	на́ша
D	на́шему		на́шей

6. Le datif singulier du pronom-adjectif démonstratif э́тот

	masculin	neutre	féminin
N	э́тот	э́то	э́та
D	э́тому		э́той

7. Le datif singulier de l'adjectif en base dure

	masculin	neutre	féminin
N	но́вый	но́вое	но́вая
D	но́вому		но́вой

8. Les verbes de déplacement (suite)

Le verbe indéterminé a une valeur de généralisation, de globalisation ; c'est pourquoi il peut servir à indiquer un mouvement multidirectionnel.

➠ Они́ хо́дят по дере́вне.

9. L'ordre des mots (suite)

Le complément de lieu ou le complément de temps se place habituellement en tête d'énoncé.

➠ **В шко́ле** у нас есть спортза́л.

➠ **В сре́ду** я иду́ в бассе́йн.

S'il y a deux compléments, le complément de temps est généralement en tête de proposition.

➠ **Зимо́й в Москве́** они́ ката́ются на конька́х.

NB : contrairement à ce qui se produit fréquemment en français, on ne met pas de virgule après les compléments de temps et de lieu en début de proposition.

Урок 14

1. Les propositions impersonnelles

On appelle propositions impersonnelles des propositions qui peuvent avoir les structures suivantes :

– adverbe prédicatif* seul : valeur générale ;

    ▸▸ Хо́лодно. Il fait froid.

– personne concernée au datif + adverbe : état affectant une personne.

    ▸▸ Мне тепло́. J'ai chaud.

    ▸▸ Ему́ нельзя́ кури́ть. Il ne doit pas fumer.

Avec les adverbes на́до, мо́жно et нельзя́, il y a un infinitif (exprimé ou sous-entendu).

*Le prédicat est l'élément central, le noyau de la proposition.

2. L'expression de l'âge

La personne se met au datif. Il n'y a pas de verbe exprimé.

    ▸▸ Ско́лько **ему́** лет? **Ему́** оди́н год,
                       два, три, четы́ре го́да,
                       пять… лет.

3. La voyelle mobile

Comparez les formes du nom оте́ц dans les phrases qui suivent :

    Хоро́ший же ты оте́ц!   На́стя пи́шет отцу́.

Au nominatif, le nom оте́ц présente une voyelle е qui n'apparaît plus dans la forme отцу́. C'est une **voyelle mobile**.

La voyelle mobile, généralement о ou е, s'intercale entre les deux consonnes finales d'une forme (de nom ou d'adjectif) à désinence zéro.

Quand un nom masculin présente une voyelle mobile au nominatif singulier, celle-ci disparaît aux autres formes de la déclinaison.

    N : оте́ц   A : отца́   G : отца́   D : отцу́

4. L'adjectif : forme longue et forme courte

Les adjectifs dont les désinences sont les suivantes sont à la forme longue.

masculin	féminin	neutre	pluriel
/oj/	/aja/	/ojo/	/ije/
но́в**ый**	но́в**ая**	но́в**ое**	но́в**ые**

La plupart des adjectifs ont également une forme courte. Celle-ci ne s'emploie que pour l'attribut du sujet.

masculin	féminin	neutre	pluriel
/Ø/	/a/	/o/	/i/
нов	нова́	но́во	но́вы
бо́лен*	больна́	больно́	больны́

* Remarquez la voyelle mobile.

Урок 15

1. Le locatif singulier en /u/

Certains noms masculins ont la désinence du locatif singulier en /u/ (-ý/-ю) (toujours accentuée) après les prépositions в et на.

- → лес / в лесý
- → аэропóрт / в аэропортý
- → бéрег / на берегý

Mais : он говори́т о лéсе.

2. Le passé

On le forme sur la base de l'infinitif, obtenue en supprimant la terminaison -ть de l'infinitif. On ajoute à cette base un suffixe et une désinence.

base	suffixe	désinence	
читá	л	∅	au masculin singulier
читá	л	а	au féminin singulier
читá	л	о	au neutre singulier
читá	л	и	au pluriel

Il n'est pas **conjugué**, mais simplement **accordé** avec le sujet.

Я читáл	ты читáл	он читáл	au masculin singulier
Я читáла	ты читáла	онá читáла	au féminin singulier

On forme de la même manière le passé des verbes pronominaux en ajoutant, comme au présent, -сь après voyelle et -ся après consonne.

- → Он катáлся, она катáлась, они катáлись.

Il peut y avoir certains changements si la base est en consonne (cas d'une petite minorité de verbes russes).

- → passé du verbe есть : ел, éла, éло, éли (la consonne disparaît).
- → passé du verbe идти́ : шёл, шла, шло, шли.

3. Le passé du verbe быть

Le verbe *être* est exprimé au passé : был, былá, бы́ло, бы́ли.
Attention à l'accent à la forme négative !

- → нé был, не былá, нé было, нé были.

4. L'instrumental

Il est régi par plusieurs prépositions. La plus courante est с, qui permet d'exprimer l'accompagnement.

- → Она игрáет с брáтом.

5. 1ʳᵉ et 2ᵉ déclinaisons des noms : l'instrumental singulier

	1ʳᵉ déclinaison		2ᵉ déclinaison			
			masculin		neutre	
	base dure	base molle	base dure	base molle	base dure	base molle
N	газéта	недéля	журнáл	портфéль	слóво	мóре
I	газéтой	недéлей	журнáлом	портфéлем	слóвом	мóрем

6. L'instrumental singulier des pronoms interrogatifs

N	кто	что
I	кем	чем

7. L'instrumental singulier des pronoms-adjectifs possessifs

	masculin	neutre	féminin
N	мой	моё	моя́
I	мои́м		мое́й

	masculin	neutre	féminin
N	наш	на́ше	на́ша
I	на́шим		на́шей

8. L'instrumental singulier du pronom-adjectif démonstratif э́тот

	masculin	neutre	féminin
N	э́тот	э́то	э́та
I	э́тим		э́той

9. L'instrumental singulier de l'adjectif en base dure

	masculin	neutre	féminin
N	но́вый	но́вое	но́вая
I	но́вым		но́вой

10. Particularité orthographique

Dans les désinences, le phonème /o/ est écrit o sous l'accent et e en dehors de l'accent après les chuintantes et le ц.

- ➟ Он говори́т с врачо́м.
- ➟ Он игра́ет с това́рищем.
- ➟ Она́ разгова́ривает с учени́цей.

Счита́лочка
С кем дружи́ла Ма́ша?
С па́рнем молоды́м:
С ним она́ гуля́ла
У реки́ Надым.

Урок 16

1. Les verbes du type рисова́ть

Les verbes de ce type, **très nombreux**, appartiennent à la 2ᵉ classe.

Ils sont caractérisés par une **alternance entre l'infinitif et le présent**.

Le suffixe -ова-, de l'infinitif (et donc du passé), alterne au présent avec le suffixe -у-.

> ▸ Рис-ова́-ть: я рис-у́-ю, ты рис-у́-ешь они рис-у́-ют.

> ▸ Он рис-ова́-л…

Accent:

à l'infinitif	au présent
final: рисова́ть	sur le suffixe -у-: рису́ю
sur la base: фотографи́ровать	sur la base: фотографи́рую

2. L'instrumental (suite)

C'est le cas du complément de moyen.

> ▸ Он пи́шет карандашо́м.

3. L'instrumental singulier des pronoms personnels

N	я	ты	он, оно́	она́	мы́	вы́	они́
I	мной	тобо́й	им	ей	на́ми	ва́ми	и́ми

Attention! С тобо́й, mais со мно́й.

4. L'aspect du verbe

À un système complexe de temps en français (8 temps à l'indicatif), correspond en russe un système simple de temps (3 temps: présent, passé, futur). Ce petit nombre de temps est compensé par l'existence d'une catégorie verbale particulière: l'aspect.

La plupart des verbes russes ont deux aspects: **imperfectif** (Ipf) et **perfectif** (Pf).

> (Ipf) расска́зывать   (Pf) рассказа́ть

> (Ipf) отвеча́ть   (Pf) отве́тить

> (Ipf) ду́мать   (Pf) поду́мать

Le **présent** ne se forme que sur l'**imperfectif**.

Le **passé** se forme sur les **2 aspects**.

L'utilisation de l'aspect dépend de la façon dont le locuteur envisage l'action exprimée par le verbe.

Imperfectif	Perfectif
L'action est envisagée pour elle-même, comme un simple fait. Сего́дня тебе́ звони́л Вале́ра.	Il inscrit l'action dans une dynamique, projette dans quelque chose qui se trouve au-delà de l'action. Гри́ша поду́мал: «Неуже́ли э́то Ди́ма?»

Imperfectif	Perfectif
On met l'accent sur le développement, le processus, donc pour certains verbes, sur l'occupation. – Где ты был́ Что ты де́лал – Я вас ждал у метро́, чита́л. D'où l'emploi avec des indicateurs de durée. – До́лго ждал – До́лго.	On met l'accent sur l'achèvement, le résultat. Я все газе́ты прочита́л.
Il permet de décrire une toile de fond, Они́ смотре́ли матч, пи́ли пепси-ко́лу...	sur laquelle survient un événement. и вдруг услы́шали: « А вот и я ».
Quand il y a une énumération d'actions, elles sont généralement dissociées. Ребя́та смотре́ли матч, пи́ли пепси-ко́лу и уже́ не ду́мали о Ди́ме.	Les actions s'enchaînent les unes aux autres. Я спроси́л у де́вушки, как е́хать сюда́. Она́ мне отве́тила: «Я то́же е́ду туда́». И мы пое́хали вме́сте.
Il peut aussi exprimer la répétition. Они́ ча́сто аплоди́ровали.	

5. Les verbes de déplacement (suite)

– Les verbes indéterminés sont imperfectifs.
– Les verbes déterminés ont les deux aspects.

Indéterminé	Déterminé	
Imperfectif	Imperfectif	Perfectif
ходи́ть	идти́	пойти́
е́здить	е́хать	пое́хать

6. Les verbes de déplacement au passé

– Quand le locuteur s'intéresse moins au déplacement, qui est pour ainsi dire gommé, qu'à la présence en un lieu, il emploie le **verbe indéterminé**.

➡ Он **е́здил** в Москву́. Cette phrase est équivalente à : Он был в Москве́.

On retrouve cette équivalence dans les deux phrases françaises suivantes :

Il est allé à Moscou. Cette phrase est équivalente à : Il a été à Moscou (langue parlée).

– Quand le locuteur envisage le début du déplacement,

➡ Они́ все пошли́ в кафе́.

ou bien l'absence du sujet de l'énoncé au moment où l'on parle,

➡ Где Анто́н? Он пошёл в библиоте́ку.

il emploie le passé déterminé perfectif.

mémento grammatical

1. Particularités orthographiques

Après			Jamais	Toujours
К, Г, Х	Ж, Ч, Ш, Щ		Ы	И
К, Г, Х	Ж, Ч, Ш, Щ	Ц	Я	А
			Ю	У
Dans les désinences, si la syllabe n'est pas accentuée,	Ж, Ч, Ш, Щ	Ц	О	Е

2. Les cas

Cas	Emplois sans préposition		Emplois avec préposition
Nominatif	Sujet	**Ба́бушка** гуля́ет.	
	Attribut du sujet	Па́па – **шофёр**.	
Accusatif	COD	Я чита́ю **кни́гу**.	в, на, че́рез
	Complément de temps :		
	– Répétition	**Ка́ждую неде́лю** он хо́дит в кино́.	
	– Durée	Она́ там рабо́тала **неде́лю**.	
Génitif	Complément du nom	Это портфе́ль **ма́льчика**.	у, из, с, о́коло, по́сле, от
	Expression de l'absence	В дере́вне нет **музе́я**.	
Datif	Complément d'attribution	Я даю́ календа́рь **сестре́**.	к, по
	– Équivalent du COI	Он **мне** звони́т.	
	– Équivalent du COS	Мы говори́м **ему́** пра́вду.	
	Proposition impersonnelle : personne concernée	**Ли́де** хо́лодно. **Бра́ту** 8 лет.	
Instrumental	Complément de moyen	Ма́льчик пи́шет **флома́стером**.	с, над, под
Locatif			в, на, о(об)

3. Les déclinaisons

a. Noms

	1re déclinaison		2e déclinaison			
			masculin		neutre	
	base dure	base molle	base dure	base molle	base dure	base molle
N	газе́та	неде́ля	журна́л	портфе́ль	сло́во	мо́ре
A	газе́ту	неде́лю	журна́л	портфе́ль	сло́во	мо́ре
G	газе́ты	неде́ли	журна́ла	портфе́ля	сло́ва	мо́ря
D	газе́те	неде́ле	журна́лу	портфе́лю	сло́ву	мо́рю
I	газе́той	неде́лей	журна́лом	портфе́лем	сло́вом	мо́рем
L	газе́те	неде́ле	журна́ле	портфе́ле	сло́ве	мо́ре

Remarque : l'accusatif singulier des noms masculins de 2e déclinaison désignant des animés (personnes et animaux) est semblable au génitif.

➤ Я зна́ю инжене́ра.

b. Pronoms personnels

N	я	ты	он, оно́	она́	мы	вы	они́
A	меня́	тебя́	его́	её	нас	вас	их
G	меня́	тебя́	его́	её	нас	вас	их
D	мне	тебе́	ему́	ей	нам	вам	им
I	мной	тобо́й	им	ей	на́ми	ва́ми	и́ми
L	(обо) мне	(о) тебе́	(о) нём	(о) ней	(о) нас	(о) вас	(о) них

c. Pronoms interrogatifs

N	кто	что
A	кого́	что
G	кого́	чего́
D	кому́	чему́
I	кем	чем
L	(о) ком	(о) чём

d. Pronoms-adjectifs possessifs : le singulier

	masculin	neutre	féminin
N	мой	моё	моя́
A	↙↗	моё	мою́
G	моего́		мое́й
D	моему́		мое́й
I	мои́м		мое́й
L	моём		мое́й

N	наш	на́ше	на́ша
A	↙↗	на́ше	на́шу
G	на́шего		на́шей
D	на́шему		на́шей
I	на́шим		на́шей
L	на́шем		на́шей

e. Pronom-adjectif démonstratif э́тот : le singulier

	masculin	neutre	féminin
N	э́тот	э́то	э́та
A	⤢	э́то	э́ту
G	э́того		э́той
D	э́тому		э́той
I	э́тим		э́той
L	э́том		э́той

f. Adjectifs en base dure : le singulier

	masculin	neutre	féminin
N	но́вый	но́вое	но́вая
A	⤢	но́вое	но́вую
G	но́вого		но́вой
D	но́вому		но́вой
I	но́вым		но́вой
L	но́вом		но́вой

Pour mémoriser les déclinaisons...

1ʳᵉ déclinaison
Это моя́ ма́ленькая сестра́.
Я жду свою́ ма́ленькую сестру́.
Это кни́жка мое́й ма́ленькой сестры́.
Я пишу́ свое́й ма́ленькой сестре́.
Я гуля́ю со свое́й ма́ленькой сестрой.
Я ду́маю о свое́й ма́ленькой сестре́.

2ᵉ déclinaison : masculin
Это мой но́вый друг.
Я жду своего́ но́вого дру́га.
Это кни́жка моего́ но́вого дру́га.
Я пишу́ своему́ но́вому дру́гу.
Я гуля́ю со свои́м но́вым дру́гом.
Я ду́маю о своём но́вом дру́ге.

4. Les verbes

a. 1ʳᵉ classe

Voyelle de liaison /i/

	Sans alternance	Avec alternance	
	говори́ть	сиде́ть	гото́вить
я	говорю́	сижу́	гото́влю
ты	говори́шь	сиди́шь	гото́вишь
он	говори́т	сиди́т	гото́вит
мы	говори́м	сиди́м	гото́вим
вы	говори́те	сиди́те	гото́вите
они́	говоря́т	сидя́т	гото́вят

b. 2ᵉ classe

Voyelle de liaison /e/

	чита́ть	рисова́ть
я	чита́ю	рису́ю
ты	чита́ешь	рису́ешь
он	чита́ет	рису́ет
мы	чита́ем	рису́ем
вы	чита́ете	рису́ете
они́	чита́ют	рису́ют

c. Verbes irréguliers

брать:	беру́, берёшь, беру́т.
дава́ть:	даю́, даёшь, даю́т.
есть:	ем, ешь, ест, еди́м, еди́те, едя́т.
е́хать:	е́ду, е́дешь, е́дут.
ждать:	жду, ждёшь, ждут.
жить:	живу́, живёшь, живу́т.
идти́:	иду́, идёшь, иду́т.
мочь:	могу́, мо́жешь, мо́гут.
писа́ть:	пишу́, пи́шешь, пи́шут.
хоте́ть:	хочу́, хо́чешь, хо́чет, хоти́м, хоти́те, хотя́т.

5. Les numéraux

	Cardinaux	Ordinaux
1	оди́н	пе́рвый
2	два	второ́й
3	три	тре́тий
4	четы́ре	четвёртый
5	пять	пя́тый
6	шесть	шесто́й
7	семь	седьмо́й
8	во́семь	восьмо́й
9	де́вять	девя́тый
10	де́сять	деся́тый
11	оди́ннадцать	оди́ннадцатый
12	двена́дцать	двена́дцатый
13	трина́дцать	трина́дцатый
14	четы́рнадцать	четы́рнадцатый
15	пятна́дцать	пятна́дцатый
16	шестна́дцать	шестна́дцатый
17	семна́дцать	семна́дцатый
18	восемна́дцать	восемна́дцатый
19	девятна́дцать	девятна́дцатый
20	два́дцать	двадца́тый
30	три́дцать	тридца́тый
40	со́рок	сороково́й
50	пятьдеся́т	пятидеся́тый
60	шестьдеся́т	шестидеся́тый
70	се́мьдесят	семидеся́тый
80	во́семьдесят	восьмидеся́тый
90	девяно́сто	девяно́стый
100	сто	со́тый

index des notions grammaticales

abréviations du manuel

A : accusatif
D : datif
dét. : déterminé
dim. : diminutif
f. : féminin
G : génitif
I : instrumental
indécl. : indéclinable
indét. : indéterminé

Ipf : imperfectif
L : locatif
m. : masculin
n. : neutre
N : nominatif
pers. : personne
Pf : perfectif
pl. : pluriel
sing. : singulier

lexique

*Les numéros renvoient aux numéros des leçons.

А

а (1)*
а́вгуст (13)
авто́бус (4)
а́дрес (13)
актёр (1)
актри́са (1)
америка́нский (5)
англи́йский (5)
аплоди́ровать (16)
апре́ль (13)
ара́бский (11)

Б

ба́бушка (6)
бале́т (14)
банк (10)
ба́нка (9)
ба́ня (15)
баскетбо́л (9)
бассе́йн (10)
бе́лый (9)
бе́рег (15)
библиоте́ка (4)
биоло́гия (11)
блин (13)
блю́до (9)
блокно́т (7)
бо́лен (14)
боле́ть (14)
большо́й (7)
брат (6)
брать (8)
бридж (9)
буты́лка (9)
буфе́т (6)
бы́стро (3)
быть (15)
бюро́ (4)

В

в (5)
ва́за (2)
ваш (4)
вдруг (16)
велосипе́д (14)
весна́ (13)
весно́й (12)
ве́чер (12)
ве́чером (6)
видеомагнитофо́н (12)

видеопроэ́ктор (12)
ви́деть (7)
вино́ (2)
вку́сный (13)
вме́сте (15)
вода́ (2)
во́дка (2)
волейбо́л (9)
вон (15)
воскресе́нье (11)
вот (1)
врач (14)
все (9)
всегда́ (12)
всё (14)
вто́рник (11)
вчера́ (15)
вы (3)
вы́учить (16)

Г

газе́та (3)
гастроно́м (10)
где (2)
геогра́фия (7)
гид (1)
гимна́стика (7)
гита́ра (8)
говори́ть (4)
год (14)
голова́ (14)
голубо́й (12)
го́рло (14)
го́род (4)
горя́чий (13)
гости́ница (4)
гото́вить (13)
грамма́тика (7)
гре́чневый (15)
грипп (14)
гру́ппа (13)
гуля́ть (7)

Д

да (1)
дава́ть (13)
да́же (11)
далеко́ (от) (10)
дверь (3)
де́вочка (5)
де́вушка (5)

де́душка (6)
де́йствие (13)
декабрь (13)
де́лать (6)
день (11)
дере́вня (8)
де́ти (11)
дива́н (2)
дире́ктор (1)
дискета (7)
дискоте́ка (7)
для (10)
днём (6)
до́брый (12)
до́лго (16)
дом (4)
до́ма (6)
домино́ (9)
домо́й (10)
доска́ (2)
до свида́ния (1)
до́чка (6)
друг (8)
ду́мать (8)
духи́ (5)
дя́дя (11)

Е

е́здить (14)
есть (12)
есть (15)
е́хать (14)
ещё (7)

Ж

жа́рко (14)
ждать (16)
же (3)
жена́ (8)
же́нщина (5)
жёлтый (12)
жить (8)
журна́л (3)
журнали́ст (1)

З

за́втракать (6)
закрыва́ть (8)
заку́ска (9)
заря́дка (7)
звони́ть (14)

звоно́к (9)
здесь (2)
здра́вствуй(те) (1)
зелёный (12)
зима́ (13)
зимо́й (12)
знать (6)
зуб (14)

И

и (2)
игра́ть (6)
идти́ (10)
изба́ (15)
изуча́ть (12)
икра́ (9)
и́ли (3)
и́мя (7)
инжене́р (1)
институ́т (12)
интервью́ (10)
интере́сный (10)
испа́нский (11)
истори́ческий (12)
исто́рия (7)
италья́нский (11)
ию́ль (13)
ию́нь (13)

К

к (13)
ка́ждый (11)
как (1)
кака́о (2)
како́й (4)
календа́рь (5)
калькуля́тор (12)
кани́кулы (13)
каранда́ш (2)
карнава́л (13)
ка́рта (9)
карти́на (2)
кассе́та (5)
ката́ть (11)
ката́ться (12)
кафе́ (10)
ка́ша (15)
кварти́ра (7)
кефи́р (15)
киломе́тр (14)
кинотеа́тр (10)

киоск (5)
класси́ческий (13)
кни́га (2)
когда́ (6)
колбаса́ (15)
колле́га (9)
кольцо́ (7)
кома́нда (16)
ко́мната (8)
компо́т (9)
компью́тер (5)
коне́чно (7)
ко́нкурс (13)
контраба́с (8)
конфе́та (10)
конце́рт (6)
коньки́ (12)
конья́к (5)
ко́пия (11)
костромско́й (12)
котле́та (9)
ко́фе (9)
ко́шка (15)
краси́вый (8)
кра́сный (9)
кто (1)
куда́ (10)
купа́ть (11)
купа́ться (12)
купи́ть (16)
кури́ть (4)
курс (12)

Л

ла́дно (10)
ла́мпа (2)
лежа́ть (5)
лес (15)
ле́то (13)
ле́том (12)
лимо́н (9)
литерату́ра (7)
лицо́ (11)
лы́жи (12)
лы́жный (13)
люби́мый (11)
люби́ть (7)
лю́ди (1)

М

магази́н (4)
магнитофо́н (2)
май (13)
ма́ленький (7)
ма́льчик (5)
ма́ма (6)
март (13)
ма́сленица (13)
ма́сло (15)
матема́тика (7)
математи́ческий (12)

матч (13)
мать (15)
маши́на (3)
медве́дь (13)
медици́нский (12)
ме́дленно (4)
мел (16)
меню́ (9)
ме́сяц (13)
метро́ (6)
минера́льный (9)
мину́та (7)
моби́льный (12)
мо́жет быть (5)
мо́жно (14)
мой (3)
молодо́й (4)
молоко́ (15)
мо́ре (3)
моско́вский (10)
мотоци́кл (14)
мочь (10)
муж (8)
мужчи́на (5)
музе́й (4)
му́зыка (7)
мы (3)
мэр (1)
мя́со (9)

Н

на (5)
наве́рно (9)
над (15)
на́до (14)
наза́д (16)
нале́во (10)
написа́ть (16)
напра́во (10)
нарисова́ть (16)
наш (4)
не (1)
недалеко́ (от) (10)
неде́ля (11)
нельзя́ (14)
неме́цкий (11)
нет (1)
нет (12)
неуже́ли (16)
никогда́ (16)
ничего́ (9)
но́вый (3)
нога́ (14)
но́мер (6)
ноя́брь (13)
нра́виться (13)
ну (7)

О

о(б) (8)
обе́дать (6)

обы́чно (14)
о́вощи (4)
о́зеро (12)
окно́ (2)
о́коло (9)
октя́брь (13)
он (2)
она́ (2)
оно́ (2)
они́ (2)
о́пера (14)
о́сень (13)
о́сенью (12)
отве́тить (16)
отвеча́ть (8)
отдыха́ть (9)
оте́ц (14)
открыва́ть (8)
о́чень (5)

П

пальто́ (2)
панно́ (2)
па́па (6)
па́пка (5)
парк (4)
педагоги́ческий (12)
пена́л (2)
пе́чка (15)
пешко́м (14)
пиани́но (8)
пинг-по́нг (9)
писа́ть (13)
пистоле́т (8)
письмо́ (13)
пить (15)
план (10)
пле́ер (12)
CD пле́ер (7)
DVD пле́ер (7)
пло́хо (4)
плохо́й (10)
пло́щадь (13)
по (13)
пого́да (14)
под (15)
пода́рок (10)
подру́га (8)
поду́мать (16)
по́езд (14)
пое́хать (16)
пожа́луйста (5)
по́здно (16)
пойти́ (16)
показа́ть (16)
пока́зывать (15)
покупа́ть (10)
поку́пка (10)
поликли́ника (14)
понеде́льник (11)
понима́ть (9)

портфе́ль (3)
по́сле (16)
посмотре́ть (16)
пото́м (6)
по́чта (6)
поэ́зия (7)
пожа́луйста (5)
по-англи́йски   (4)
по-ру́сски (4)
по-францу́зски (4)
пра́вильно (8)
пра́здник (13)
пра́ктика (1)
предме́т (11)
прекра́сный (11)
преподава́тель (11)
приве́т (9)
програ́мма (13)
прогу́лка (13)
происходи́ть (13)
проспе́кт (8)
профе́ссия (10)
прочита́ть (16)
пря́мо (11)
пье́са (8)
пюре́ (9)
пя́тница (11)

Р

рабо́та (6)
рабо́тать (6)
ра́дио (7)
радиожурнали́ст (10)
разгова́ривать (15)
раке́тка (10)
ра́ньше (15)
расписа́ние уро́ков
(11)
рассказа́ть (16)
расска́зывать (15)
ребёнок (11)
ребя́та (13)
регуля́рно (14)
реда́ктор (9)
река́ (4)
рекла́ма (12)
режиссёр (8)
репорта́ж (3)
рестора́н (6)
рис (9)
рисова́ние (11)
рисова́ть (16)
роди́тели (15)
ро́за (5)
рок-му́зыка (7)
росси́йский (10)
ру́брика (5)
рука́ (11)
ру́сский (5)
ру́чка (2)
ры́ба (9)

С

с (15)
сайт (11)
саксофо́н (8)
сала́т (9)
самова́р (15)
самолёт (3)
са́нки (13)
са́хар (15)
свой (12)
сде́лать (16)
сего́дня (11)
сейча́с (6)
секре́т (10)
секрета́рша (1)
сентя́брь (13)
сестра́ (6)
сигаре́та (5)
сиде́ть (5)
сказа́ть (16)
ска́зка (15)
ско́лько (14)
скри́пка (8)
сле́ва (2)
сло́во (1)
слу́шать (7)
слы́шать (7)
смотре́ть (9)
соба́ка (6)
совсе́м (12)
солда́т (13)
соси́ска (15)
спаси́бо (5)
спать (15)
спортза́л (9)
спорти́вный (13)
социологи́ческий (12)
спра́ва (2)
спра́шивать (8)
спроси́ть (16)
среда́ (11)
стажёр (3)
стадио́н (9)
ста́рый (3)
стол (2)

столи́ца (10)
стоя́ть (4)
страна́ (1)
студе́нт (12)
студе́нтка (12)
стул (2)
стюарде́сса (5)
суббо́та (11)
су́мка (7)
суп (9)
сын (6)
сыр (9)
сюда́ (10)

Т

тако́й (13)
такси́ (14)
там (1)
твой (3)
теа́тр (6)
телеви́зор (2)
телефо́н (2)
температу́ра (14)
те́ннис (9)
тепло́ (14)
тетра́дь (3)
тётя (11)
ти́хо (8)
това́рищ (7)
то́же (6)
то́лько (13)
торт (9)
трамва́й (14)
трико́ (7)
тролле́йбус (14)
тромбо́н (8)
труд (11)
туда́ (10)
тури́ст (1)
тут (8)
ту́фля (3)
ты (3)

У

у (12)
у (16)
уви́деть (16)
уже́ (10)
у́жинать (6)
у́лица (4)
университе́т (12)
уро́к (1)
услы́шать (16)
у́тро (12)
у́тром (6)
учени́к (3)
учени́ца (3)
учи́тель (3)
учи́тельница (3)
учи́ть (11)
учи́ться (12)

Ф

факульте́т (12)
фами́лия (7)
февра́ль (13)
фестива́ль (13)
фи́зика (11)
физи́ческий (12)
физкульту́ра (11)
филармо́ния (14)
филосо́фский (12)
фильм (9)
фи́рма (6)
флако́нчик (5)
фле́йта (7)
флома́стер (16)
фотоаппара́т (16)
фото́граф (3)
фотографи́ровать (16)
фотогра́фия (3)
францу́з (13)
францу́зский (5)
футбо́л (9)
футбо́льный (13)

Х

хи́мия (11)
хлеб (15)
ходи́ть (11)
хокке́й (16)
хо́лодно (14)
хоро́ший (8)
хорошо́ (2)
хоте́ть (9)

Ц

центр (10)
центра́льный (12)
це́рковь (11)
цыга́нка (13)

Ч

ча́сто (11)
чай (9)
ча́шка (13)
челове́к (4)
чемпио́нка (9)
четве́рг (11)
чёрный (9)
чи́псы (16)
чита́ть (6)
что (2)

Ш

ша́пка (5)
ша́хматы (6)
шко́ла (6)
шофёр (1)

Э

экза́мен (13)
экску́рсия (13)
э́тот (11)

Ю

юмори́ст (3)
юриди́ческий (12)

Я

я (3)
язы́к (11)
янва́рь (13)
япо́нский (9)

crédits photographiques

Illustrations (couverture et intérieur) : Alexis Dernov

• p.15: (1) Leemage - (2) Bridgeman - (3)Leemage - (4) Bridgeman - (5) Leemage • p. 17 b: Sipa/Connors • p. 35 bd: RIA-Novosti • p. 94: Dostoievski; AKG-Images- les autres: RIA-Novosti • p. 101 md: RIA-Novosti • p. 107 h: Corbis/Dean Conger, m: RIA-Novosti, b : AFP/STF/Gabriel Bouys

La plupart des photos proviennent des collections particulières de Véronique Jouan-Lafont et de Françoise Kovalenko. Que soient chaleureusement remerciés Sylvain Barrière, Ingrid Berger, Evguenia Golovnina, Katia Kovalenko, Aline Macke et les élèves de Valérie Porcherot, Elena Ponikarova, Leonid Skoptsov, Anton Simanenka, Pascal Terras et Ludmilla Toropoff pour leur importante contribution à l'illustration photographique.

IMPRIM'VERT®

Imprimé en France par Estimprim – 25110 Autechaux
N° d'édition : 70114087-09/août2020 - Dépôt légal : avril 2005